Latitudes
D0795236

Du même auteur

Fâché noir (recueil), Éditions Québec Amérique, 2013.

Corax / L'Orphéon, VLB éditeur, 2012.

Stigmates et BBQ, Éditions Québec Amérique, coll. Littérature d'Amérique, 2011.

Morlante, Éditions Coups de tête, 2009.

Mal élevé, Éditions Québec Amérique, coll. Littérature d'Amérique, 2007.

Un petit pas pour l'homme, Éditions Québec Amérique, coll. Littérature d'Amérique, 2003, coll. QA Compact, 2004, coll. Nomades, 2015.

• **GRAND PRIX DE LA RELÈVE LITTÉRAIRE ARCHAMBAULT 2004-2005**

COLLECTIFS

Nu, recueil de nouvelles érotiques (sous la direction de Stéphane Dompierre), Éditions Québec Amérique, 2014.

Dictionnaire de la révolte étudiante, Tête première, 2012.

Amour et libertinage (sous la direction d'Elsa Pépin et Claudia Larochelle), Les 400 coups, 2011.

SÉRIE JEUNAUTEUR

Jeunauteur, Tome 2 – Gloire et crachats, Éditions Québec Amérique, coll. Code Bar, 2010.

Jeunauteur, Tome 1 – Souffrir pour écrire, Éditions Québec Amérique, coll. Code Bar, 2008.

TROMPER MARTINE

Projet dirigé par Myriam Caron Belzile, éditrice

Conception graphique : Nathalie Caron
Mise en pages : Interscript
Révision linguistique : Sophie Sainte-Marie et Élyse-Andrée Héroux
Illustration couverture : Mélanie Baillairgé

Québec Amérique
329, rue de la Commune Ouest, 3e étage
Montréal (Québec) Canada H2Y 2E1
Téléphone : 514 499-3000, télécopieur : 514 499-3010

Nous reconnaissons l'aide financière du gouvernement du Canada par l'entremise du Fonds du livre du Canada pour nos activités d'édition.

Nous remercions le Conseil des arts du Canada de son soutien. L'an dernier, le Conseil a investi 157 millions de dollars pour mettre de l'art dans la vie des Canadiennes et des Canadiens de tout le pays.

Nous tenons également à remercier la SODEC pour son appui financier. Gouvernement du Québec – Programme de crédit d'impôt pour l'édition de livres – Gestion SODEC.

Conseil des arts du Canada Canada Council for the Arts

SODEC Québec

Catalogage avant publication de Bibliothèque et Archives nationales du Québec et Bibliothèque et Archives Canada

Dompierre, Stéphane
Tromper Martine
(Latitudes)
ISBN 978-2-7644-2963-1 (Version imprimée)
ISBN 978-2-7644-3008-8 (PDF)
ISBN 978-2-7644-3009-5 (ePub)
I. Titre. II. Collection : Latitudes (Éditions Québec Amérique).
PS8557.O495T76 2015 C843'.6 C2015-941481-4
PS9557.O495T76 2015

Dépôt légal, Bibliothèque et Archives nationales du Québec, 2015
Dépôt légal, Bibliothèque et Archives du Canada, 2015

quebec-amerique.com

Imprimé au Québec

TROMPER MARTINE

STÉPHANE DOMPIERRE

Québec Amérique

À Véronique.

À mes parents.

L'amour reste le meilleur sujet
de littérature, peut-être même le seul.
Bientôt écrire ne servira plus qu'à cela :
donner aux hommes et aux femmes
une dernière chance de se parler.

Frédéric Beigbeder,
Premier bilan après l'apocalypse

1.

SUR LA ROUTE

Je suis sorti du garage à reculons, dans la vieille Jeep Cherokee, sans me soucier d'éviter les jouets des enfants. J'ai fait éclater un ballon mauve et j'ai écrasé la roue d'un vélo. Martine, qui était sur le porche en robe de chambre et m'envoyait la main, s'est précipitée pour voir les dégâts. Ariane, assise dans les marches, s'est mise à pleurer. Après avoir respiré profondément, comme on le recommande dans tous les articles à propos du stress, j'ai fouillé dans mon portefeuille et j'ai tendu quelques billets à Martine pour qu'elle remplace la roue tordue et le ballon éventré.

— Je leur avais dit de ramasser leurs cochonneries!

Elle a pris l'argent en haussant les épaules. Je lui ai demandé de saluer Zacharie de ma part, probablement cramponné à sa console de jeu au sous-sol, et je suis parti. Ma femme et ma fille ont rapetissé dans le rétroviseur.

J'ai gardé une expression neutre, je me suis retenu de pousser un long soupir de soulagement ou de hurler ma joie en donnant de grandes claques sur le volant. J'ai perdu de vue ma famille alors que je quittais la rue du Petit Bonheur et que je tournais sur la Soixante-deuxième Avenue. Le temps d'arriver au boulevard, je respirais déjà mieux.

Ils allaient me manquer, mais, tout de même, j'appréciais ce vent de liberté qui me soufflait dans les cheveux.

J'ai eu envie d'un grand café et d'une douzaine de beignes bourrés de costarde, couverts de glaçage de toutes les couleurs et de petits bonbons qui craquent sous la dent. Je me suis engagé sur l'autoroute toutes fenêtres ouvertes et j'ai hurlé comme un loup.

ooo

La jeep a dérivé sur la droite alors que j'étais penché pour chercher mon disque de Hank Williams censé être dans la boîte à gants, perdu quelque part entre les Squirrel Nut Zippers, les Stray Cats et les autres disques de swing et de rockabilly de Martine. Les pneus ont mordu le gravier en laissant un nuage de fine poussière dans mon sillage. J'ai donné un coup de volant pour ramener la jeep sur la route asphaltée, j'ai retiré le CD de son boîtier d'une seule main et je l'ai enfoncé dans le lecteur. J'ai repris mon café et j'ai soufflé dessus avant d'en boire une gorgée. J'entendais mon attirail qui bringuebalait à gauche et à droite dans le coffre chaque fois que je négociais un virage serré. Les bouteilles s'entrechoquaient dans la glacière, les conserves rebondissaient sur la banquette arrière. Au sortir d'une courbe, le soleil droit devant m'a fait plisser les yeux. La liberté est délicieuse, à quatre-vingt-quinze kilomètres à l'heure dans une zone de soixante-dix, avec le vent qui t'ébouriffe les cheveux et les grosses mouches juteuses qui s'éclatent la gueule sur le pare-brise. J'ai sorti mes lunettes fumées d'une poche de chemise et je me les suis installées sur le nez. Un cadeau d'anniversaire de mon fils. Il me les avait offertes la veille, pour mes quarante-deux ans, et je le soupçonne d'avoir volontairement égaré celles que j'avais afin de trouver une idée de cadeau. Des Ray-Ban à deux cents dollars remplacées par un modèle en plastique à l'odeur toxique déniché dans un présentoir à l'entrée d'une pharmacie. L'amour d'un père excuse facilement ces petites maladresses. Quelque chose me chatouillait la joue. L'étiquette avec le prix était encore accrochée à l'une des branches. Quatre dollars quatre vingt-dix-neuf. Je l'ai arrachée avec les dents et l'ai recrachée à mes pieds. J'ai remis les lunettes. Gorgée de café. Grande respiration pour humer l'air frais de la campagne, chose rendue possible grâce à mes pilules contre les allergies saisonnières.

Take these chains from my heart and set me free
You've grown cold and no longer care for me
All my faith in you is gone but the hearthaches
linger on
Take these chains from my heart and set me free.

J'ai monté le son et j'ai chanté avec Hank, lui juste, moi faux. Il n'y avait personne pour m'entendre, alors je ne me suis pas gêné, j'ai beuglé ma vie. Les Holstein, en petits groupes dans les champs, cessaient de brouter et tournaient la tête pour me regarder filer. J'étais dans un tel état d'excitation que j'aurais eu envie de m'arrêter au bord de la route pour embrasser le sol. Mais la hâte d'arriver était plus forte. J'ai appuyé encore un peu sur l'accélérateur. Quelqu'un me voyant passer aurait pu croire que j'étais poursuivi par Satan.

Je ressentirais peut-être de la culpabilité plus tard, mais, pour l'heure, je n'avais aucun remords à laisser Martine seule avec les deux enfants. Ça faisait des années que je les traînais partout où ils voulaient aller : Martine à la plage, Ariane aux glissades d'eau, Zacharie dans les parcs d'attractions. Nous avons visité des zoos, des aquariums, des musées, des pentes de ski, des centres d'amusement, toutes ces saletés de minigolfs clinquants du Maine et, là, enfin, j'avais deux mois de repos. Des journées complètes où je n'aurai pas à regarder mon agenda surchargé en me demandant comment j'en viendrais à bout. De longues heures à ne penser à rien plutôt qu'à tenter de trouver de nouvelles activités pour occuper les enfants. La plupart des parents donneraient tout pour être à ma place.

J'ai ralenti pour quitter la route principale et m'engager sur un chemin désert. J'en ai profité pour consulter la carte sur le siège passager afin de m'assurer que j'avais pris la bonne direction. Je ne m'étais pas trompé. Je me suis récompensé avec un troisième beigne. Mon téléphone a sonné et ça m'a causé un léger problème de logistique, avec le volant dans une main et mon beigne dans l'autre. Je l'ai déposé délicatement entre mes jambes et je me suis tortillé pour sortir l'appareil de la poche de mon jean. C'était Martine. J'ai avalé rapidement ma grosse bouchée avant de répondre. Zacharie avait-il déjà fait une connerie ?

— Allo ?
— Allo, papa !

Ariane.

— Il y a quelque chose d'important, mon cœur ? Papa conduit.

— Oui. Je voulais m'excuser pour tantôt. J'ai essayé de pas pleurer pendant que tu t'en allais, mais j'ai pas pu me retenir. Je vais m'ennuyer !

— Je vais m'ennuyer aussi ! Et je m'excuse pour ton ballon. Maman va t'en acheter un autre.

— C'est correct. J'aurais pas dû le laisser traîner.

— C'est pas grave. Ariane, va falloir que je raccroche, là.

— Je t'aime, papa ! Je te passe maman !

— Euh. Faut pas que je parle au téléphone en conduisant. Ariane ?

— Allo. Ça va ? Tu t'ennuies pas trop ?

— Pour l'instant, je survis. Vous autres ? Vous faites quoi ?

— Je relaxe en buvant du thé. Ariane lave ou noie ses poupées dans le bain, c'est pas clair. Zacharie, lui, je sais pas. Il est dans sa chambre, probablement en train de se tripoter.

— Bon ! Rien d'anormal, donc. Va falloir que je raccroche, là. C'est dangereux de conduire en parlant au téléphone.

— OK ! Sois prudent !

— C'est ce que j'essaie de faire.

— Tu m'appelles en arrivant ?

— Promis !

J'ai abandonné mon téléphone sur le siège passager et j'ai récupéré mon beigne. D'après la carte, je n'étais plus très loin. Je suis passé devant un kiosque où l'on vendait du maïs, de petits fruits et de la tarte maison. Il semblait n'y avoir personne pour accueillir la clientèle. Quelques immenses demeures à droite et, à gauche, la forêt.

Mon téléphone a joué une courte sonnerie pour m'aviser de l'arrivée d'un texto. J'ai englouti ce qui restait de mon beigne pour me libérer la main. « Zach vient de voir son vélo. Oups ! ;-p » J'ai essayé de répondre « il va s'en remettre » tout en gardant les yeux sur la route. J'ai écrit « ik va sen remettrw ». Après un instant d'hésitation, j'ai conclu que c'était suffisamment ressemblant et j'ai envoyé. J'ai heurté quelque chose. Il y a eu un gros coup sourd et le truc a glissé et rebondi sous la voiture. Je n'avais pas vu ce que c'était. J'ai lâché mon téléphone, j'ai agrippé le volant et j'ai freiné dans un grand crissement de pneus. Le stress m'a donné une bouffée de chaleur et m'a fait monter le cœur au bord des lèvres. J'ai prié pour que ce ne soit pas un enfant.

J'ai regardé dans le rétroviseur et ce que j'y ai vu était une bonne nouvelle : la chose avait du poil.

J'ai arrêté la jeep au bord de la route et j'ai pris le temps de retrouver mon souffle avant de sortir pour aller vérifier ce que c'était. J'avais les jambes molles. La bestiole, étendue sur le flanc, bougeait les pattes d'une drôle de façon, comme si elle nageait dans sa flaque de sang. C'était un petit chien. Un pékinois. Sa tête formait un angle improbable avec le reste de son corps et c'était encore plus déplaisant à regarder qu'un pékinois en bon état.

Selon mes déductions, le chien arrivait d'une maison sur la droite que je venais tout juste de dépasser. Plus délabrée que celles que j'avais croisées avant, avec les gouttières décrochées par endroits, une pelouse jaunie et une abondance de décorations grotesques : un Haïtien en plâtre qui pêchait dans un pneu peint en blanc et rempli d'eau croupie. Un Mexicain et son âne qui s'apprêtaient à foncer dans la maison. Une Sainte Vierge abritée par un bain recouvert d'un panneau de plexiglas. Et probablement des gnomes dissimulés un peu partout.

La porte de la maison s'est ouverte et je me suis dit que les problèmes commençaient, que j'aurais peut-être dû continuer mon chemin sans ralentir. Une femme est sortie et s'est approchée sans se presser. Elle devait avoir à peu près le même âge que moi, la jeune quarantaine, mais une quarantaine maganée par la cigarette et les salons de bronzage. Ses bras maigres étaient couverts de tatouages, autrefois noirs comme ses cheveux longs et gras, sans doute, maintenant mauves. Son pantalon moulant à motifs léopard, qui semblait n'être rien d'autre qu'un collant plus ou moins opaque, soulignait le renflement de son pubis. Elle portait une camisole d'où pointaient de petits seins. J'ai présumé qu'elle n'avait pas prévu de quitter la maison cette journée-là. Le logo de Harley-Davidson était imprimé sur la grande tasse qu'elle avait à la main. Femme de motard ? En voilà un que je n'étais pas pressé de voir arriver. La femme a jeté un œil inexpressif sur ce qui restait du pékinois, qui a choisi ce moment pour enfin cesser de nager. J'ai toussé pour signifier ma présence.

— Il était sur la route.

Ça m'a paru être une évidence, mais bon. Je ne sais jamais comment rompre la glace lorsque je me fais de nouveaux amis.

— Schnoutte de schnoutte. La p'tite va capoter. Estie que la p'tite va capoter.

Elle parlait sans vraiment s'adresser à moi, avec le regard vide de quelqu'un qui vient juste de terminer un très gros joint. C'était à se demander si je n'avais pas encore l'occasion de prendre la fuite sans qu'elle me remarque.

— C'est pas ma fille, c'est la fille de mon chum.

Trop tard pour filer.

— Je suis désolé. J'ai pas eu le temps de l'éviter.

Je restais dans les évidences et les banalités. C'était le mieux que je pouvais faire. Lui offrir un beigne pour compenser aurait sans doute été malpoli.

— J'vas te trouver une pelle, on va le crisser dans un sac à vidanges. Mon chum est parti avec la p'tite, faudrait faire ça avant qu'ils reviennent. Faudrait pas qu'elle le voie amanché de même. Awèye.

Elle m'a fait signe de la suivre dans la maison. Je ne me sentais pas très à l'aise d'entrer là-dedans, mais j'ai pensé à cette fillette sans nom. *Allez. Fais-le pour elle.* Résigné, j'ai obéi sans rien dire. J'ai tenté de ne pas trop y prêter attention, mais ce que cette femme portait lui moulait vraiment les fesses, qu'elle avait bien rondes et fermes, et ça se remarquait tout de suite qu'elle n'avait pas de culotte. Ce n'est pas qu'elle était jolie. Pour tout dire, elle était plutôt disgracieuse, mais sa désinvolture avait un je-ne-sais-quoi d'excitant.

À l'intérieur, ça sentait le sexe, les draps sales et la marijuana. Une odeur moite et envahissante. Je suis resté tout près de la porte. Avec des gestes lents et confus, elle a posé sa tasse sur une chaise et a ouvert un placard. Elle s'est penchée sans plier les genoux pour fouiller derrière une montagne de bottes d'hiver usées en m'offrant une vue privilégiée de son cul et de sa vulve. Je me suis demandé si le tissu n'allait pas se déchirer. J'avais une érection embarrassante. Je crois que la femme l'a remarquée, elle m'a fait un sourire en coin avant de me tendre une pelle en plastique.

— M'as te rejoindre dehors.

Bonne idée. J'ai filé. Mon érection a diminué pendant que je grattais pour décoller de l'asphalte quelques morceaux de pékinois. La femme est arrivée avec un sac-poubelle et semblait avoir retrouvé un peu de sa lucidité. Assez pour afficher un sourire lubrique et m'envoyer des regards cochons. J'ai déposé la bête dans le sac en me disant que je me faisais des idées. Elle est repartie sans reprendre la pelle, ce qui m'a obligé à la suivre de nouveau. Elle a ouvert une poubelle de métal, à demi cachée par le Mexicain et son âne, y a enfoui le sac et est entrée dans la maison sans me regarder. Ce chien n'aurait ni hommage ni cérémonie; de toute évidence, personne ne l'enterrerait au fond de la cour. Ça m'a rendu un peu triste pour la petite fille, qui était sûrement attachée à la bête et qui ne pourrait jamais aller se recueillir sur sa tombe, encore moins y déposer des fleurs sauvages qu'elle aurait cueillies autour de la maison, entre les morceaux de carrosserie rouillés abandonnés au hasard. Probablement qu'on lui ferait croire que son chien s'était enfui. Je suis resté là un moment, l'air un peu con, tenant toujours la pelle, sans savoir quoi faire. *Bon, allez, Nicolas. Tu entres, tu laisses la pelle dans un coin, tu dis bonjour et tu fous le camp.*

Je suis entré. Elle était là qui m'attendait, debout dans le vestibule. Elle avait une main sous sa camisole et se caressait les seins.

— Je vais continuer de faire ce que je faisais, si ça te dérange pas.

Je n'ai pas trop l'habitude que des femmes se donnent en spectacle devant moi. Pour moi. Je suis avec Martine depuis toujours. Il y a mille ans que je n'ai pas touché une autre qu'elle. Mon ami Alex m'a raconté un tas d'histoires dans le genre, ça arrive que des femmes s'offrent à lui d'étrange façon, mais, dans son cas, c'est presque normal: il est musicien.

Elle a baissé son collant sans plus de cérémonie, a mouillé deux doigts et les a glissés dans sa chatte en se laissant tomber sur un sofa. Voilà. Fini l'ambiguïté. C'était bien un regard cochon et un sourire lubrique que j'avais vus.

Ça ne semblait pas être le moment approprié pour lui suggérer d'enterrer le chien.

— Approche, je te mangerai pas.

— C'est gentil, mais, euh, votre chum va peut-être revenir bientôt avec sa fille, et puis j'ai encore de la route à faire.

— Mon chum ! Il me touche pus, estie, que je le voie pogner les nerfs parce qu'un autre me fourre ! Au pire, si ça y tente, il me la mettra dans le cul !

La scène avait quelque chose d'excitant et de repoussant à la fois. Mais je me suis imaginé un instant coincé entre ses jambes, croisées dans mon dos, à lui donner de grands coups de bassin pendant que son chum possiblement motard et la fillette rentraient à la maison. « Dis, belle-maman, il est où, Cachou ? » « Le gars qui est en train de me ramoner lui est passé sur le corps, ma chérie. » Je ne voyais pas comment tout ça pourrait avoir une fin heureuse. J'ai aussi imaginé Martine et les enfants débarquer. Tant qu'à y être. Partis à ma recherche, en panique, incapables de vivre plus d'une heure sans ma présence rassurante et me découvrant là, loin d'eux depuis une heure à peine, et perdant déjà la tête, devenant une bête sauvage sans foi ni loi qui ne veut plus qu'assouvir ses besoins primaires : manger, baiser, dormir. C'était une image suffisamment puissante pour que je renonce à commettre une bêtise et j'ai reculé, lentement mais sûrement, refusant cette offre aussi tordue qu'alléchante. C'était là toute l'ironie de l'affaire : j'aurais voulu tromper Martine qu'il m'aurait sans doute fallu des semaines pour trouver le moyen d'arriver à mes fins. Et, alors que je ne cherchais que repos et tranquillité, voilà qu'une inconnue vulgaire mais pourvue d'un étrange *sex-appeal* me donnait un spectacle que je ne pourrais raconter à personne tant ça semblait improbable. J'ai remarqué un calepin et un crayon sur la table à l'entrée. Surpris que quelqu'un dans cette maisonnée sache lire ou écrire, j'y ai noté mon numéro de téléphone ainsi que l'adresse où j'allais. Je lui ai dit qu'ils pouvaient me contacter et que je les dédommagerais pour la perte de leur chien. Elle ne m'écoutait pas. Elle s'est étendue sur le dos et a replié ses jambes pour que je puisse mieux voir. D'où j'étais, je percevais très bien le bruit de succion que faisaient ses doigts qui glissaient à toute allure sur sa fente mouillée. *Flap, flap, flap.* Elle tenait le rythme sans faiblir. *Flap, flap, flap, flap, flap.*

— Bon ben. Je vais y aller, moi. Bonne journée.

Sortie boiteuse, mais sortie quand même. J'ai filé jusqu'à la jeep et je suis parti sans un regard en arrière, fier de n'avoir pas mis mon pénis là où il ne fallait pas.

○○○

La sonnerie qui m'informait de l'arrivée d'un texto a retenti. J'apprends de mes erreurs : cette fois, j'ai laissé le téléphone sur le siège et j'ai fait comme si je n'avais rien entendu. Je suis entré dans le village et, d'après les indications qu'on m'avait données, il me fallait ensuite tourner à droite dans la petite rue tout de suite après le dépanneur.

Sonnerie. Un autre texto.

J'ai tenté de l'ignorer. C'était sûrement Martine. Nous pouvions passer de longues heures ensemble dans la maison sans nous adresser la parole, mais, voilà, il suffisait que je m'absente pour qu'elle ait soudain envie de communiquer. Ce n'était probablement pas urgent. Si ça l'était, ça pouvait sans doute attendre quelques minutes. Je n'en savais rien. Elle pouvait tout aussi bien m'envoyer un bonhomme sourire et un cœur que me prévenir que Zacharie avait mis le feu à la maison. Sauf que, pour une nouvelle de cette nature, elle m'aurait probablement appelé. Probablement.

Eh merde.

J'ai abdiqué en soupirant. J'ai ramassé mon téléphone pour voir qui m'avait écrit. Martine me demandait si j'étais parti avec la douzaine d'œufs. Dans son deuxième message, elle disait l'avoir retrouvée, s'excusait et m'envoyait trois baisers. J'ai souri. Sortie de nulle part, une voiture de police est apparue dans mon rétroviseur, les gyrophares allumés. J'ai ralenti et je me suis collé sur la droite afin que le policier puisse me dépasser. La voie inverse était dégagée, mais il ne me dépassait pas. C'était moi qui l'intéressais. À soixante kilomètres à l'heure dans une zone de cinquante ? Je me demandais ce qu'il me voulait. J'ai immobilisé la voiture et j'ai réalisé que j'avais oublié d'inspecter la jeep après l'accident. Le pare-chocs était peut-être couvert de sang et de poils, je n'en avais pas la moindre idée.

J'ai vu le policier fouiller dans son ordinateur. Il vérifiait probablement mon numéro de plaque pour s'assurer que je n'étais pas un dangereux criminel. Je n'étais pas un dangereux criminel. Mon méfait le plus fréquent, c'est d'oublier de mettre de l'argent dans les parcomètres. Je ne me suis fait prendre qu'une seule fois pour excès de vitesse, alors que j'allais conduire Martine qui était en retard à son cours de yoga chaud. Je n'ai rien à me reprocher, mais je suis comme ça : lors de contrôles routiers, le soir de Noël ou du Nouvel An, je m'imagine qu'on va me confisquer mon permis et me jeter en prison même si je n'ai bu que deux verres dans la soirée. Ou je me dis qu'on va me confondre avec un criminel en cavale, un dangereux assassin pédophile, et que je vais devoir fuir dans un champ alors que les balles sifflent autour de moi.

J'ai attendu, les mains posées sur les cuisses. J'évitais le moindre mouvement louche. Ces dernières années, beaucoup d'innocents avaient péri sous les balles de policiers nerveux et expéditifs. Je n'étais pas un jeune Noir, mais ce n'était pas une raison pour prendre des risques inutiles. Le policier s'est approché et m'a demandé mon permis de conduire et les enregistrements de la jeep. C'était un grand blond tout en muscles, avec le regard sévère, pas plus de vingt-cinq ans, le genre impatient de voir arriver son moment de bravoure pour avoir de l'avancement. Je lui ai donné tout ce qu'il voulait avec des gestes lents et précis, pendant qu'il inspectait la banquette arrière à la recherche d'une machette ensanglantée ou de prostituées démembrées dans des sacs. J'ai décidé de soulager la tension et de lui avouer sans plus attendre que, oui, j'avais écrasé le chien d'une nymphomane qui était liée au crime organisé, mais il a pris la parole avant moi.

— Vous savez, c'est surtout des ados que j'ai l'habitude d'arrêter parce qu'ils s'occupent de leur téléphone plutôt que de la route.

J'ai répondu un « oui » modeste et repentant, et j'ai préféré ne pas l'embêter inutilement avec cette histoire de chien écrasé.

— Et vous allez où, comme ça ?

— Tout près, au chalet de Fritz Murray. Je l'ai loué pour deux mois.

— Ah bon ? Eh bien. Il a fini par le louer...

— Pourquoi ? Il y a un problème ?

Il ne m'a pas répondu, occupé qu'il était à rédiger ma contravention. Il me l'a tendue et m'a remis mes papiers. Cent quinze dollars d'amende et quatre points d'inaptitude.

— Soyez prudent. Une amende, c'est le moins pire des scénarios. Vous auriez facilement pu faire une sortie de route et vous tuer en rentrant dans un poteau, ou écraser quelqu'un. Même frapper un chien, c'est pas une expérience tellement plaisante.

En effet. J'avais chaud, j'étais nerveux, mais je tentais de ne rien laisser paraître. Était-il au courant de mon meurtre non prémédité ? Étions-nous rendus au moment où il me déchargerait son pistolet Taser dans le ventre avant d'appeler du renfort ?

— Pour ce qui est de l'histoire du chalet, j'imagine que Murray va vous raconter ça.

Il est reparti avec un sourire en coin, en me souhaitant une bonne journée. Son ton m'a semblé ironique. J'ai démarré rapidement pour éviter qu'il le fasse avant moi, passe devant, jette un coup d'œil dans son rétroviseur et remarque finalement la tripaille de chien collée sur mon pare-chocs. J'ai tourné sur un petit chemin de gravier et j'ai vu la voiture de police continuer tout droit.

Je suis vite arrivé à une fourche. Selon le plan, l'embranchement de gauche menait vers chez Murray, celui de droite vers le chalet. J'ai pris à gauche et je me suis garé devant une maison d'architecte à deux étages, très chic, avec des fenêtres pleine grandeur sur tout un côté. Murray était sans doute un des deux hommes nus qui sortaient du spa. J'ai parié que c'était le gros roux excentrique avec une moustache qui retroussait, plutôt que le frisé avec le pénis géant. J'étais content de voir qu'ils se donnaient la peine d'enfiler des peignoirs avant de venir à ma rencontre. Volés au Bowery de New York, à en juger par la broderie, mais ça couvrait ce que ça devait couvrir.

Je suis sorti de la jeep et j'ai serré la main mouillée du moustachu. C'était bien Fritz Murray. L'autre, c'était « Michel Louvain ». Je lui ai demandé de répéter. J'avais bien entendu. Il ne ressemblait pas du tout à l'original. Habitué à voir les visages ébahis des gens à qui il se présente, il m'a dit que lui et l'autre étaient natifs de

Thetford Mines, mais que c'était tout ce qu'ils avaient en commun. Et, d'ailleurs, lui, c'était Louvin, sans le « a ». Il a ajouté que si je lui demandais de me chanter *La dame en bleu*, il me balancerait dans le spa pour m'y noyer. J'ai pouffé de rire et je me suis vite retrouvé avec un grand verre de vin blanc à la main. J'ai dit que je prendrais plutôt de l'eau pétillante ou de la bière sans alcool, s'ils en avaient, parce que je m'étais promis de ne pas boire pendant quelques mois. Ils ont ri, croyant que je blaguais, et ils ont porté un toast à mes vacances, loin de mon travail et de la vraie vie.

Je les aimais bien, déjà.

2.

VAL-DES-MONTS

J'étais confus. J'avais la nausée et la tête me faisait mal comme si un lutteur mexicain tentait d'y faire un trou à coups de poing pour y entrer. J'étais couché par terre, sur un tapis à poil long, coincé entre un bahut rustique et un sofa. J'ai essayé de me lever et ça n'a fait qu'aggraver les choses. Il n'y avait que la confusion qui se dissipait, lentement, à mesure que je découvrais mon environnement. Le chalet. Près de la porte d'entrée, tout mon attirail pour les deux prochains mois était entassé pêle-mêle. L'instinct de survie m'a mené à la cuisine, où j'ai vite repéré une cafetière espresso en inox qui scintillait dans la lumière du jour. Moi qui m'attendais plutôt à voir l'habituelle machine en plastique beige sale qui crache du café filtre, typique de tous les chalets, j'étais ravi. J'ai ouvert les portes d'armoires une à une pour repérer ce dont j'aurais besoin dans les prochaines semaines. Ici, pas de vaisselle dépareillée; tout était en porcelaine blanche, propre et neuve. Il m'a fallu fouiller à quatre pattes sous l'évier, derrière les produits ménagers, pour trouver une grosse tasse laide qui allait tout de suite devenir ma préférée. Brune, décolorée, avec un animal peint à la main qui ressemblait à peu près à un renne du père Noël. Je l'ai nettoyée soigneusement et j'y ai fait couler un double espresso. J'ai ouvert le frigo pour prendre du lait. Mon épicerie y était parfaitement rangée, alors que je ne me rappelais pas l'avoir rentrée. Je ne me souvenais même plus d'être parti de chez les proprios pour arriver jusqu'ici.

Par la porte vitrée de la cuisine, j'ai constaté que la jeep était garée à l'endroit prévu à cet effet. D'avoir oublié pareil exploit me décevait un peu. Je me serais plutôt attendu à la retrouver portes ouvertes et phares allumés, garée sur la terrasse, avec le mobilier d'extérieur réduit en pièces tout autour et des ratons laveurs qui en déchiraient les sièges.

Une odeur d'agrumes et d'eau de Javel flottait dans l'air. Tout me semblait propre et fraîchement lavé. Le chalet était petit, mais chaque chose était à la bonne place, il n'y avait pas d'espace perdu. Pratique et confortable, sans cet encombrement inutile de fleurs séchées couvertes de poussière et de babioles en osier que l'on voit trop souvent dans ce genre d'endroit. Je m'imaginais bien passer de longues heures vautré sur le sofa, affalé dans les coussins dodus, à descendre la pile de romans que j'avais emportés. Je suis sorti par une porte de la baie vitrée et je me suis installé sur une lourde chaise en bois avec mon café. Un huard se laissait flotter sur le petit lac en forme de cœur. Pour les deux prochains mois, un lac privé rien que pour lui et moi.

Ce n'est pas parce que j'en avais envie que j'avais hérité de tout ce temps pour me reposer. C'étaient les ordres de mon médecin de famille. Une fatigue croissante et une irritabilité grandissante m'avaient conduit dans son bureau et j'avais dû passer quelques tests pour voir si je n'avais pas un problème de glande thyroïde ou une maladie étrange qui allait me tuer rapidement. Il n'avait rien trouvé d'autre qu'un épuisement général, l'étape précédant le *burnout*. Il m'avait dit que je serais idiot de continuer comme si de rien n'était.

— Partez pendant deux semaines. Prenez du temps pour vous. Faites ce que vous voulez, mais faites-le loin de votre travail et, si possible, loin de votre famille. Fuyez tous ces gens qui vous considèrent comme indispensable. Ils vont devoir apprendre à se passer de vous, et vous devrez apprendre à ne rien faire.

J'ai pouffé de rire. Deux semaines à n'être là pour personne. L'idée était attrayante, mais je ne voyais pas comment je pourrais me soustraire à mes dix mille tâches quotidiennes, tant au travail qu'à la maison, sans soumettre mon entourage à un stress supplémentaire dont personne n'avait besoin. Je me sentais coupable rien que d'y penser.

— Et profitez-en pour couper dans le sucre, le gras, le sel et l'alcool.

Mes quatre groupes alimentaires favoris.

— Et quand je vous dis de ne rien faire, ça ne vous empêche pas de faire de l'exercice une fois de temps en temps, hein ? À votre âge, rester assis, c'est comme prendre un express pour la mort.

Ce congé potentiel venait avec son lot de désagréments. J'avais quarante-deux ans et mon médecin, le docteur Schloss, était catégorique : si je persistais dans mes mauvaises habitudes, mon poids ne ferait qu'augmenter et le diabète m'attendait. Je mourrais jeune et gros. Je devais changer mon mode de vie.

— Vous avez le foie gras. Si vous passiez quatre ou cinq mois sans boire une goutte d'alcool, vous me feriez vraiment plaisir. Et votre corps vous dirait merci.

J'ai hoché la tête sans trop savoir si j'étais capable d'un tel sacrifice. Je ressentais un léger malaise à me faire juger aussi sévèrement par Schloss, qui était doté d'une bedaine pouvant servir de trampoline aux enfants de moins de quatre ans, de seins plus gros que ceux de ma femme et d'une barbe rêche jaunie par la cigarette. Mais bon. Il s'inquiétait de ma santé plus que de la sienne, j'imagine que ça signifiait qu'il avait son travail à cœur. Avant de quitter son bureau, je lui avais demandé si deux semaines de repos suffiraient à me remettre sur pied.

— Probablement pas. Si c'était possible, je vous dirais de prendre deux mois. Mais qui peut se permettre ça, avec les vies de fous qu'on mène ? Si ça se trouve, vous prendrez même pas deux jours.

Ce qu'il me suggérait était d'une telle évidence que je m'étonnais de ne pas y avoir pensé moi-même : j'avais besoin de repos. Pour ma défense, il faut dire que mon horaire me laisse rarement le temps de penser. Il m'a semblé que j'étais à la course depuis la naissance de Zacharie. J'ai eu des larmes aux yeux devant ce cadeau que le docteur m'offrait. En l'espace de quelques minutes, ce congé préventif est devenu ce que je désirais le plus au monde. Deux mois, ça m'avait paru énorme, mais ça devait pouvoir s'arranger.

— Des excessifs dans votre genre, j'en ai tous les jours dans mon bureau. Les hommes dans la quarantaine refusent de se rendre compte que leur corps vieillit, que tout a changé, que la machine se déglingue et qu'ils peuvent plus se permettre de se démener comme ils le faisaient à vingt-cinq ans. Je vois des *burnout*, des dépressions, il y en a même qui me font des psychoses. Ils voient des trucs qui existent pas, ils entendent des voix, mais ils me sourient, ils prennent un air détaché et ils essaient de me convaincre que tout va bien. « Je vais bien, docteur, je vais bien. » Ils insistent, ils me regardent comme si j'étais idiot de m'inquiéter pour eux, et puis ils chassent une mouche imaginaire ou ils arrivent à la maison et ils s'ouvrent les veines avec un morceau de miroir cassé. On dirait que plus personne m'écoute, que plus personne prend le temps de se reposer. Peut-être qu'on a juste oublié comment faire. On accumule le stress, on accumule la fatigue, et puis, un jour, ça nous pète au visage. Vous savez, l'écrivain qui est mort d'une crise cardiaque il y a pas longtemps ? Ça, c'était la version officielle. Celle que sa famille a choisi de communiquer aux médias. Un autre qui insistait pour me convaincre que tout allait bien. Plutôt que d'aller à la pharmacie avec l'ordonnance d'antidépresseurs que je lui avais remise, il s'est rendu dans son garage pour se pendre. C'est sa fille de dix ans qui l'a retrouvé, bouffi, les yeux grands ouverts, le pantalon souillé d'urine et d'excréments.

J'avais hoché la tête sans rien ajouter. De toute évidence, je n'en étais pas là, mais je n'aurais fait que le froisser en tentant, comme ses dingos, de le convaincre que j'allais bien. Il m'avait signé un papier que j'avais plié et rangé dans mon portefeuille avec soin, comme si c'était un petit mot d'amour. Un docteur m'annonçait que je n'étais pas malade et que j'avais deux mois de congé. C'était une belle journée. L'ivresse de la liberté me gagnait déjà. J'avais eu envie de fêter ça en ouvrant une bouteille de rouge, mais non. Je m'étais retenu, soucieux que j'étais d'appliquer ses consignes.

Mes trois sœurs, Annie, Marianne et Corinne, l'avaient plutôt mal pris lorsque je leur avais montré mon billet du médecin. Il faut dire que les affaires étaient bonnes et que nous avions beaucoup de travail. Les clients affluaient à notre boutique d'achat et de location de meubles et d'accessoires rétro, et l'abondance de films étrangers qui se tournaient à Montréal nous obligeait à une logistique compliquée et à des déplacements fréquents d'accessoires d'un plateau de tournage à un autre. Du mobilier, utilisé un jour dans un film de superhéros américain tourné à Montréal, devait parfois se retrouver le lendemain matin à Kamouraska pour une télésérie d'époque. Et même si les clients payaient des suppléments astronomiques pour que ça puisse se faire, il fallait tout de même emballer la marchandise, souvent fragile, chandelier en cristal ou service de table en faïence, et la livrer sans une égratignure. Corinne luttait pour ne pas se mettre en colère. Ça se voyait qu'elle était fatiguée, elle aussi. Nous l'étions tous. Annie était déstabilisée, mais me disait de ne pas m'en faire, que je prenais la bonne décision. Elle avait bien remarqué que je n'étais pas aussi efficace et organisé qu'à mon habitude et, selon elle, il était inutile de m'inquiéter pour la boutique.

— Allez, vas-y, repose-toi, on va trouver quelqu'un pour nous aider. Marianne a un nouveau chum, je pense qu'il se cherche du travail, il est sûrement capable de conduire un petit camion.

J'avais croisé ce bonhomme louche une fois alors que j'étais allé conduire Marianne chez elle. Il m'avait confié qu'il cherchait du travail, oui, mais que le choix était limité parce qu'il s'était fait retirer son permis pour ivresse au volant. « Une erreur judiciaire », disait-il. J'ai préféré ne pas en informer Corinne et Annie, déjà que je venais de gâcher leur journée.

J'avais travaillé encore une semaine, le temps de préparer mon absence, puis j'étais parti en laissant mes trois sœurs s'occuper de tout. Je n'étais pas inquiet, elles se débrouilleraient très bien sans moi. C'était d'ailleurs pourquoi j'avais eu ce pincement au cœur : c'est mauvais pour l'orgueil de savoir qu'on peut se passer de vous. Peut-être que je me faisais des idées, mais j'avais même cru déceler chez elles un certain soulagement pendant les accolades, au moment où je quittais la boutique pour mon congé.

Avec Martine, ça avait été un peu plus compliqué. Elle avait remarqué que j'étais impatient et irritable depuis des semaines, que j'avais de la difficulté à me lever le matin, que j'étais distrait et improductif autant au travail que dans l'organisation de la vie familiale ; elle aurait accueilli avec plaisir ma décision de rester deux mois à la maison pour me reposer, mais comprenait mal pourquoi je souhaitais passer ce temps loin d'elle et des enfants. Ça l'obligeait à réorganiser son horaire et j'étais conscient que je lui en demandais beaucoup, que ce serait exigeant pour elle, mais plus j'y pensais, plus je me disais que cette rupture brutale d'avec mon quotidien me serait profitable. Pour venir à bout de ses réticences, je lui avais raconté l'histoire de l'écrivain qui s'était suicidé, en y ajoutant quelques détails de mon cru pour créer un maximum d'impact.

— Il croyait que se reposer chez lui serait suffisant, mais s'occuper de ses enfants et de l'entretien de la maison, c'était déjà trop. Tondre le gazon, faire les lunchs, il en pouvait plus. Un matin, plutôt que de sortir les poubelles, il est allé dans le garage pour se pendre. Avec la corde à danser de sa fille ! T'imagines ?

Technique un peu malhonnête, certes, mais nécessaire. Nous avions organisé les choses de façon que Martine reçoive un peu d'aide de nos parents, toujours heureux d'accueillir les enfants pour quelques jours, et j'avais pu préparer mes bagages l'esprit tranquille, sans avoir l'impression de la laisser dans un chaos impossible à gérer. Je n'aurais pas pu profiter de mon congé en me sentant coupable et je ne tenais pas à ce qu'elle fasse un *burnout* en tentant de m'éviter d'en faire un.

ooo

Mon mal de tête s'estompait. La brise et les premières gorgées de café ont contribué à me sortir de la brume.

Et à me rappeler que j'avais oublié d'appeler Martine.

Je suis entré dans le chalet et j'ai ramassé mon cellulaire sur la table de la cuisine. Il était déjà midi vingt. J'ai tenté de téléphoner, mais mon appareil était inutile : Fritz m'avait prévenu qu'on capte rarement le signal dans le chalet, mais qu'il suffit de se rendre au bord de la route principale pour le retrouver. Je suis parti en expédition, avec ma tasse renne au nez croche et mon cellulaire. Impossible d'aller dans la mauvaise direction, le chalet était le dernier au bout du chemin. Comme dans les films d'horreur.

J'entendais des bestioles qui s'agitaient dans les broussailles à mon passage. J'ai marché au milieu du chemin de gravier pour éviter de me faire asperger par une moufette que j'aurais dérangée. Le trajet m'a pris du temps et je me suis rendu compte à quel point j'étais loin de tout : il fallait plus de dix minutes pour atteindre l'embranchement qui menait chez les proprios. J'ai rejoint la route où, comme prévu, j'ai retrouvé un faible signal téléphonique. Martine a répondu avant la fin de la première sonnerie.

— T'étais où ? Qu'est-ce qui se passe ? Pourquoi tu m'as pas appelée ?

Le ton : mi-reproche, mi-inquiétude, avec une pointe de soulagement en finale. L'adolescent fugueur que j'étais a expliqué du mieux qu'il pouvait sa rencontre avec Fritz et Michel, et sa dérape de la veille.

— T'es là pour te reposer, mais tu bois toute la nuit et tu conduis paqueté ?

— J'avoue que, dit de même, ça me fait mal paraître, mais j'ai juste roulé sur un chemin privé. Les chances que je me tue étaient plutôt minces. Et puis la soirée m'a détendu. Je vais me remettre à pas boire bientôt.

— Tu fais ce que tu veux, Chouchou. Mais ce serait le *fun* que ton congé serve à quelque chose. Sois prudent. Et donne-moi des nouvelles !

Chouchou. Pourquoi les femmes n'affublent jamais leur amoureux d'un surnom viril ? Je lui ai promis de lui donner des nouvelles, de manger beaucoup de fruits et de légumes et de bien me comporter avec autrui. Je lui ai aussi dit de ne pas s'en faire si je ne répondais pas à ses appels ou à ses courriels, que c'était la communication qui était mauvaise. Je connaissais Martine depuis assez longtemps pour savoir que ce n'était pas le bon moment pour lui parler du chien écrasé, de la nymphomane exhibitionniste et du drame que m'avait raconté Fritz et qui s'était déroulé dans les bois, tout près. Inutile de l'inquiéter pour rien.

Je suis retourné au chalet en terminant mon café, alors qu'il commençait à pleuvoir. Je me sentais plus détendu, déjà, et je n'avais plus mal à la tête.

Je me suis préparé un copieux déjeuner tardif que j'ai mangé en lisant. Un luxe que je peux rarement me permettre. J'aurais enfin pu prendre le temps de lire le journal d'un bout à l'autre, mais je préférais ne pas me rendre au village pour l'acheter. Il n'y avait pas de radio ni de téléviseur dans le chalet, pas même de wifi, c'était la bonne occasion de perdre le fil et de décrocher de l'actualité. Très vite, je ne saurais plus rien de ce qui se passait dans le monde. J'allais perdre contact avec les psychopathes et les cannibales, les politiciens corrompus et les éditorialistes en colère. Je ne m'en ennuierais pas.

○○○

Après un long somme sur le sofa, j'ai rangé mes affaires : les vêtements dans la commode et la penderie de la chambre, située à la mezzanine, mes produits de toilette sur une étagère de la salle de bain, mes livres et mes revues sur le bahut du salon. J'ai parcouru les résumés de quelques-uns, j'ai hésité entre plusieurs et puis, par élimination, à l'instinct plus qu'avec des critères précis, j'ai porté mon choix vers le dernier Philippe Djian.

J'ai lu pendant presque deux heures, avec la pluie comme fond sonore. J'allais devoir m'habituer à cette tranquillité nouvelle. C'était si anormal pour moi que le moindre bruit, le vrombissement léger du réfrigérateur ou une goutte d'eau qui tombait dans l'évier, réussissait à me déconcentrer de ma lecture. J'ai fait une pause et je suis passé d'une fenêtre à l'autre pour admirer la vue. J'ai fixé les buissons çà et là en espérant que de petits animaux en sortiraient. Rien ne bougeait. La pluie semblait ne jamais vouloir s'arrêter. Je suis allé dehors pour humer l'air, protégé par le toit qui couvrait le balcon. Ça sentait bon le conifère mouillé. Le huard était parti. Je me suis gratté la joue. J'ai croisé les bras.

Je me suis demandé si je n'allais pas vite me sentir seul, ici, sans Martine et les enfants. Mes journées se définissent en général par des réveils difficiles, des repas pris à la hâte, des visites imprévues à la clinique avec un enfant qui tousse ou qui saigne, des livraisons en retard, des erreurs de logistique, des clients en colère, des clients soulagés, alors qu'ici rien de tout ça n'avait cours. La coupure d'avec ma routine était nette et franche et, pour dire la vérité, complètement déroutante. J'avais cette impression étrange qu'ailleurs ma vie se déroulait comme d'habitude, mais que je n'étais pas là pour y assister. Je voyais bien qu'il me faudrait quelques jours avant de m'adapter. Arriver à se détendre ne va pas de soi. Je devais apprivoiser la solitude alors que je ne pouvais même pas me souvenir de la dernière fois où j'avais été seul plus que quelques minutes. Seul dans un silence contemplatif, sans que Martine m'appelle pour me demander d'acheter un truc pour le souper ou pour savoir à quelle heure j'allais rentrer. Je suis toujours avec elle, ou avec les enfants, mes sœurs, un client, toujours à devoir alimenter une conversation ou une autre. Ce silence avait quelque chose d'angoissant.

J'ai regardé l'heure. Je trouvais qu'il était un peu tôt pour ouvrir une bouteille de vin, et puis je me suis rappelé que je ne buvais plus, alors j'ai refait du café. Je l'ai bu en jouant à Angry Birds sur mon téléphone, assis sur un tabouret au comptoir de la cuisine. J'étais aux prises avec un tableau particulièrement difficile lorsque j'ai entendu un bruissement louche. Je me suis approché de la fenêtre pour voir ce que c'était. Je n'avais pas envie de sortir pour assouvir ma curiosité ; mourir dépecé par un ours ne faisait pas partie de mes plans pour la journée. J'ai vite repéré un raton laveur qui passait par là. Emballé par ma découverte, j'ai soulevé la moustiquaire pour le photographier. Le raton laveur n'a pas eu la politesse de s'arrêter pour prendre la pose, alors je n'ai eu que le bout de sa queue et un buisson flou. Une fois remis de mon bref émoi, je me suis demandé pourquoi je m'étais excité à ce point pour une bestiole semblable à celles qui renversent mon bac à ordures à la maison. Un moment d'enthousiasme aussi spontané qu'inutile. L'ennui, sans doute. Je devais être patient. D'ici quelques jours, cet ennui se transformerait peut-être en plénitude.

Peut-être.

○○○

Ce n'est qu'à la nuit tombée, alors que je me sentais parfaitement seul, vulnérable et loin de tout, que cette histoire est revenue me hanter. J'étais monté à la chambre pour dormir, et je ne dormais pas.

Même si j'accusais un début d'ébriété lorsque j'avais posé la question à Fritz, je me souvenais des moindres détails de ce qu'il m'avait raconté. « Fritz, j'aimerais savoir ce qui s'est passé dans le chalet. Le policier qui m'a arrêté semblait étonné que tu m'en aies pas parlé. » Il y avait eu un silence gêné, puis Michel s'était levé pour aller chercher une autre bouteille. Fritz avait replacé les coussins et s'était calé au fond du sofa avant de me raconter l'histoire.

— Bon. D'abord, il faut que je m'excuse. J'aurais dû t'en parler tout de suite quand tu m'as écrit pour avoir des informations sur le chalet. Les femmes ont peur, et plus aucun parent veut emmener ses enfants ici. Je me disais qu'un homme seul, ça le dérangerait moins. Et puis ça commence à faire longtemps, j'ai réussi à me convaincre qu'au fond ça valait peut-être pas la peine de raconter aux locataires potentiels ce qui était arrivé. C'est mon erreur. Le chalet effraie encore les gens. On comprendra si tu préfères louer ailleurs. On te rembourserait et tout.

Je lui avais souligné qu'il était un peu tard pour que je me cherche un autre endroit où passer les deux prochains mois et que, surtout, je ne savais toujours pas de quoi il parlait. Il avait poursuivi pendant que Michel remplissait les verres et le bol de chips.

— C'était l'année dernière. Au printemps. Trois jeunes femmes avaient loué un chalet un peu plus loin. Si tu remarques, de l'autre côté du lac en cœur, il y a un sentier qui s'y rend. C'est le chalet qui est près de la route, juste avant de tourner sur le chemin qui mène ici. Un grand chalet en bois brun avec de hautes fondations en pierre des champs, presque complètement caché derrière les arbres. On l'appelle l'Icehouse. Au début du siècle dernier, il servait à entreposer de la glace. Un endroit sombre avec peu de fenêtres, mais le propriétaire en a fait quelque chose de beau. Les trois femmes l'avaient loué pour une longue fin de semaine. La première est arrivée assez tôt, les deux autres étaient censées venir la rejoindre plus tard en soirée ou le lendemain. C'était pas certain parce qu'une des deux venait d'avoir un dégât d'eau et attendait la visite de son proprio, et c'est elle qui faisait un *lift* à la troisième, qui n'avait pas de permis de conduire. En tout cas. Elle a mis une sauce à spaghetti sur le feu et a probablement passé sa soirée à lire. Deux jeunes, à peine sortis de l'adolescence, se promenaient dans le bois et se sont approchés du chalet. Ils étaient sous l'effet d'un sérieux mélange de drogue et d'alcool, et l'idée leur est venue d'entrer pour faire du grabuge. La voiture dans l'allée les a pas arrêtés. Un des deux s'est enfargé dans une poubelle. La femme a entendu les bruits et elle a cru que c'étaient ses amies qui arrivaient. Elle est sortie pour les accueillir et elle est tombée nez à nez avec les deux dingos. Plutôt que de se sauver en voyant qu'il y avait quelqu'un, ils l'ont ramenée de force dans le chalet et l'ont violée. Ensuite, pris de panique, ils l'ont étranglée et l'ont traînée dans le bois pour trouver un moyen de s'en débarrasser.

Je ne comprenais toujours pas le lien entre cette histoire et le chalet dans lequel je dormais.

— C'était une famille qui louait notre chalet à ce moment-là. Un couple, mi-quarantaine, avec une ado et une petite fille de sept ou huit ans. C'est eux qui ont retrouvé la femme. Elle flottait sur le lac en forme de cœur. Les cinglés se sont livrés aux policiers une semaine plus tard.

Je leur avais demandé s'ils avaient reloué le chalet depuis. Les deux s'étaient regardés. Il y avait un détail qu'ils ne semblaient pas ravis de me confier. C'était Louvin qui avait pris la parole.

— Une fois. À un couple d'amis. Deux gros gars, pas peureux. On les avait mis au courant de l'histoire, évidemment. Ça les avait ébranlés un peu, mais ils avaient quand même loué le chalet. La première nuit, après avoir baisé, ils se sont rhabillés pour aller fumer sur le balcon de la mezzanine en admirant les étoiles. Ils nous ont dit qu'ils avaient vu une femme qui les regardait. Elle était debout au milieu du lac et portait une grande robe blanche usée et sale. Elle flottait. Ils se sont rués vers leur voiture et ont débarqué ici à toute vitesse, en hurlant de terreur. On est retournés tous ensemble le lendemain, de jour, pour qu'ils puissent ramasser leurs affaires avant de s'en aller. À partir de ce jour-là, on a abandonné les locations pour un bon bout de temps.

Il y avait eu un silence assez long, puis Louvin, en me tendant les clés du chalet, m'avait demandé si j'avais toujours envie d'y passer deux mois. Je ne croyais pas aux fantômes. Les tueurs étaient en prison. Il était inutile de laisser mon imagination s'emballer; je ne risquais rien. J'avais donc pris les clés et rempli mon verre. Nous avions lancé quelques blagues de mauvais goût pour dédramatiser la situation.

Quelques heures plus tard, mon courage se faisait plus timide.

Avant de monter à la mezzanine, je m'étais assuré que toutes les portes et les fenêtres étaient verrouillées.

Deux fois. M'inquiéter ne servirait à rien. J'ai lu quelques pages de Djian en attendant que le sommeil me gagne, et puis, fatigué, j'ai éteint la lampe.

Je n'arrivais pas à m'endormir. Les mêmes bruits que j'entendais le jour me semblaient menaçants. Le moindre bruissement remplissait tout l'espace, je sursautais à la course d'un écureuil sur le toit. Le chalet était dans l'obscurité totale, ça ne faisait aucune différence que j'aie les yeux ouverts ou fermés. Ça m'angoissait. À tâtons, j'ai vite retrouvé la lampe de lecture posée sur la table près du lit. Je suis descendu à la salle de bain pour y laisser une lumière allumée. Un éclairage indirect qui me permettrait de voir où je mettais les pieds si une envie d'uriner me prenait pendant la nuit. Et qui m'éviterait aussi de paniquer pour rien, banlieusard que j'étais, pas du tout habitué à l'obscurité complète. Beaucoup plus détendu, j'ai fini par sombrer dans le sommeil, hop.

○○○

Je touillais mon deuxième café lorsque j'ai entendu un véhicule rouler lentement sur le sentier de gravier. Je suis sorti sur la terrasse pour accueillir le visiteur, qui arrivait au volant d'un Ford F-150 noir, le gros modèle, haut sur pattes, avec toutes les options offertes sur le marché. Avant même que le conducteur émerge du mastodonte, je savais que j'avais affaire au conjoint de la nymphomane déglinguée. Pour me donner contenance, j'ai mis une main dans la poche de mon pantalon de pyjama et j'ai bu une gorgée en affichant un air nonchalant qui m'a semblé convaincant malgré mon stress. L'homme a ouvert la portière du Ford et, puisque la marche était haute, il s'est laissé glisser pour atterrir dans un nuage de poussière, comme dans les westerns. Il était de petite taille, mais ça ne m'a pas rassuré. Les gros sont lents, on voit leurs poings arriver d'avance et on réussit parfois à éviter l'impact, tandis que les petits, habituellement belliqueux, sont plutôt rapides et imprévisibles. Je généralisais peut-être, mais c'était afin de mieux me préparer pour la suite que j'envisageais avec peu d'optimisme. L'homme était vêtu d'un jean et d'une chemise sans manches aux coutures effilochées, il s'en était probablement débarrassé en les arrachant avec ses dents jaunes et pointues. Il arborait des tatouages louches qui semblaient avoir été faits avec un vieux clou rouillé et de l'encre de stylo Bic.

— C'tu toé, ça, Nicolas ?

Adieu, me suis-je dit. J'ai répondu « moi-même », avec un accent emprunté que je ne me connaissais pas, d'une voix de journaliste de Radio-Canada des années cinquante, comme si le fait d'appartenir à une classe sociale à la diction impeccable pouvait m'éviter la bastonnade.

— C'est toé qui as tué mon chien.

J'allais périr sous les coups de petits poings anguleux, sous les assauts répétés de petites dents jaunes qui me mordraient à la gorge, pas de doute. Quelle horrible façon de mourir, alors que j'avais plutôt prévu de faire ça vieux, très vieux, discrètement, avec un dernier soupir pendant un coït trop intense pour mon âge, peut-être. J'ai retrouvé ma voix normale pour cette dernière conversation avant le long tunnel avec la lumière au bout.

— Vous habitez où il y a le Mexicain en plâtre, la Sainte Vierge et les autres ?

— Pourquoi ? T'as-tu tué d'autres chiens à d'autres adresses ? J'te niaise. Ben oui, c'est chez nous. C'est la bonne femme qui trippe « aménagement paysagier ». C'était toutte en spécial au début de l'été. Je me suis demandé si elle aimerait mieux une madame dans un bain, une couple de petits nains ou un nègre qui pêche, pis je me suis dit awèye, tabouère, on se gâte.

Il n'a pas semblé voir sur mon visage que je trouvais ses goûts discutables en matière de décoration. Et je n'avais aucune envie de m'exprimer sur le sujet.

— Shékira était ben triste d'avoir perdu son chien.

J'ai failli pouffer lorsque j'ai compris qu'il ne venait pas d'éternuer, mais de prononcer le nom de sa fille. J'ai camouflé ma grimace derrière ma tasse de café et j'ai bu deux petites gorgées pour créer une diversion.

— Il s'appelait Croquette.

Vraiment, il faisait tout pour me tester. Ma capacité à ne pas bouger les muscles du visage m'impressionnait. J'avais des douleurs au ventre à force de me retenir. J'ai attendu la suite, dans un silence respectueux, au cas où il se préparait à faire une courte homélie.

— Remarque ben, moi, je m'en crisse, hein. C'est pas que l'envie m'a jamais pogné de rouler sur son petit crisse de pékinois aux yeux croches. Il jappait tout le temps, pis il chiait partout. Mais là, c'est Shékira qui braille. Je lui achèterais ben un autre chien, une sorte qui jappe pas, mais on est pas mal cassés de ce temps-là.

Il avait à peine mis un point à sa phrase que je ressortais du chalet avec un stylo et mon chéquier. Je n'allais pas mourir, alors ce don compensatoire me réjouissait. La vie m'accordait un sursis. Mourir vieux pendant un orgasme me semblait encore à portée de main.

— Disons… deux cent cinquante ?
— Je pensais plus à quelque chose comme cinq cents.
— Deux cent soixante-quinze.

Je gagnais en confiance. Une minute, j'accueillais la mort avec résignation ; la minute suivante, je négociais comme un vendeur de voitures d'occasion. Mais on n'allait pas me demander de l'argent pour un chien et ensuite me tabasser. J'étais tiré d'affaire.

— Cinq cents ?
— Deux cent quatre-vingts.
— Cinq cents ?
— Trois cents.
— Trois cents ?
— Trois cents.
— Trois cents.

Je lui ai vite tendu un chèque qu'il a glissé dans une poche de sa chemise aux manches arrachées.

— M'as y en trouver un usagé. La p'tite va t'être contente.

Son ton ne me convainquait pas vraiment que la fillette aurait un nouvel animal de compagnie, mais qui étais-je pour douter de la sincérité d'un confrère humain que je connaissais à peine ? Il est remonté dans son Ford, a allumé une cigarette et a lancé l'allumette par la fenêtre avant de rouler sur un buisson pour faire demi-tour. J'ai jeté mon café tiède sur l'allumette et j'allais rentrer lorsque j'ai vu Fritz et Michel qui arrivaient, des outils et un panier d'osier à la main.

— Salut ! J'ai un problème de plomberie et je le savais pas ?

Fritz m'a répondu pendant que Michel surveillait le Ford qui s'éloignait.

— On s'en venait te sauver. Il avait l'air louche, cet ostie-là ! On l'a croisé sur le chemin en prenant une marche et on se demandait si t'étais en péril.

J'ai ri.

— Ben quoi ?
— Vous avez vraiment l'air terrifiant.

Les deux avaient des bermudas à carreaux, des gougounes et des t-shirts fluo. Ils se sont regardés et ont compris ce que je voulais dire.

— On a des outils ! Un qui assomme et un qui tranche !

Michel m'a demandé ce que la brute me voulait et je leur ai raconté l'histoire. Ils ont tout de suite su de quelle maison je parlais, ils se souvenaient très bien de la décoration de mauvais goût et du pékinois fatigant.

Outre un marteau et une scie à métaux, ils avaient apporté un crémant d'Alsace, des sandwiches et du sorbet fait maison. J'ai sorti des coupes et des assiettes, ravi d'avoir de l'aide pour passer le temps.

C'est lorsqu'ils se sont levés pour partir, quelques heures plus tard, que le spleen m'a assailli. Je les ai raccompagnés jusqu'à l'embranchement qui mène vers chez eux et j'ai continué jusqu'à la route pour appeler ma famille. Je m'ennuyais de Martine et des enfants.

Pas de réponse.

Je me suis connecté à Internet pour voir les dernières nouvelles. Elles étaient mauvaises, mais rien d'inhabituel : une tuerie dans un centre commercial en Oregon. Un charnier découvert sous la maison d'un enseignant. Une fillette de trois ans tuée par son frère de cinq ans d'une balle de fusil. Un livreur de pizzas poignardé par deux adolescentes. Un bébé mort trouvé dans un conteneur à déchets. Des accidentés de la route et des coupables en fuite. Le suicide d'une adolescente victime d'intimidation. Le fait divers se portait bien. Tout pour effrayer un père censé se reposer loin de sa famille. La nouvelle la plus insolite : une guérisseuse de Saint-Charles-Borromée dévorée par deux ours. J'ai décrété que j'en avais lu assez pour la journée. J'ai rappelé Martine et je suis tombé dans sa boîte vocale. Il était rare qu'elle ne réponde pas en fin d'après-midi, mais j'ai tenté de ne pas m'inquiéter.

Je suis retourné au chalet et, après un somme rempli de rêves étranges qui m'a laissé confus longtemps après mon réveil, j'ai sorti tous les ingrédients pour me préparer une grosse quantité de chili.

Porc haché, bœuf haché, bière noire, cacao, cumin, tomates en dés, haricots rouges ; j'avais pris soin d'apporter tous les ingrédients et je pouvais cuisiner le chili de Ricardo de mémoire tellement je l'avais fait souvent. Est-ce que ça compte, une bière dans un chili, quand on ne boit plus ? En y réfléchissant, j'ai réalisé que j'avais bu deux verres de vin au dîner avec les Louvin-Murray, oubliant momentanément ma belle résolution. La force de l'habitude étant ce qu'elle est, mon effort d'abstinence m'était sorti de la tête. J'ai laissé mijoter le chili à feu doux et je suis retourné sur la route pour appeler Martine. Elle a répondu.

— Allo ! Je m'ennuie de vous autres.

— J'espère bien ! Ça fait bizarre, la maison sans toi ! Tu vas bien ?

— Oui. Mais on dirait que j'arrive pas à me détendre.

— Tu vas y arriver, Chouchou. Il faut juste que tu te donnes du temps.

— Ouais, je le sais bien. Je vais sûrement en venir à bout. Les enfants vont bien ?

— Ça chigne, ça braille, ça boude, comme d'habitude. Tu veux leur parler ? Je sais pas où est Zach, mais Ariane est avec moi.

— OK !

J'ai échangé quelques banalités avec Ariane. Elle m'a parlé des livres qu'elle venait d'emprunter à la bibliothèque, je lui ai décrit le chalet et ses environs. Elle était déçue que je n'aie pas capturé d'ours ou d'orignal. Je lui ai promis de faire de mon mieux. J'ai reparlé à Martine un moment, puis nous avons raccroché.

Il n'y avait qu'un oiseau au chant monotone qui troublait le silence de la campagne. J'ai lancé un caillou dans sa direction et je suis retourné au chalet.

Après le chili, j'ai lu jusqu'à ce que le sommeil me gagne. Je suis monté me coucher sans oublier de laisser la lumière allumée dans la salle de bain. J'ai tenté de ne pas trop m'inquiéter avec les bruits venus du dehors et je me suis endormi très vite.

○○○

C'est ainsi que je croyais qu'allaient se dérouler les deux mois suivants. Réveil, café, déjeuner, dîner, souper, coucher, avec un peu de lecture et des sommes entre les repas. En passant d'une petite tâche à une autre – courses au village, ménage dans la liste de contacts de mon téléphone –, j'avais réussi à m'occuper pendant quelques jours, mais je ne m'étais pas encore reposé.

Un après-midi, j'ai ouvert un cahier de sudokus que j'avais rapporté de l'épicerie. J'ai lu les règles attentivement et j'ai choisi une grille au hasard. Je suis revenu aux premières pages de mon cahier *Sudokus intermédiaires* et j'ai relu les règles pour voir si j'avais bien compris. « Remplissez les cases vides avec les chiffres de un à neuf, de façon qu'ils n'apparaissent qu'une seule fois par colonne et par ligne, et une seule fois dans un des carrés de trois cases par trois. » J'ai noté, je me suis trompé, j'ai effacé. Je ne trouvais rien. J'aurais peut-être dû acheter un cahier pour débutants. D'une manière ou d'une autre, je n'aime pas beaucoup les chiffres. Ça m'a occupé trente minutes. J'étais ici pour me détendre, et les sudokus ne me détendaient pas. J'ai jeté le cahier sur la pile de vieux journaux près du foyer et je suis allé contempler le lac en attendant le huard que je n'avais pas revu depuis le jour de mon arrivée.

J'ai eu l'idée de faire un feu, à l'extérieur, dans un foyer en métal près de la terrasse, mais je ne me sentais pas prêt mentalement. Dans mon souvenir, allumer un feu était une activité qui prenait toujours plus de temps et d'énergie que prévu. J'ai préféré remettre cette activité au lendemain. Inutile de tout faire la même journée. Cette journée-là, ça avait été les sudokus ; le lendemain, ce serait le feu.

ooo

Le lendemain, il pleuvait.

J'étais maussade. J'avais mal dormi. Je m'étais réveillé souvent pendant la nuit et j'écoutais la vie inconnue qui s'agitait autour du chalet. Le fameux silence de la campagne est censé vous détendre, mais il me semblait toujours entendre quelque chose bouger, marcher ou ramper tout près. J'avais le sommeil léger, le simple hululement d'une chouette suffisait pour que j'ouvre les yeux.

Puisqu'il pleuvait, je regrettais toutes les activités que j'aurais pu pratiquer à l'extérieur. Il était fort probable que je n'aurais ni joggé, ni marché en montagne, ni zigzagué en canot sur un lac, ni même allumé un feu, mais j'aimais l'idée d'avoir la possibilité de le faire. Là, j'étais seul, à l'intérieur, avec quelques livres, une pile de journaux de l'année précédente et des sudokus qui me faisaient perdre patience. Je m'ennuyais. J'avais besoin de me fouetter le sang.

J'ai enfilé mon imperméable et je suis sorti pour aller visiter le chalet où avait eu lieu le meurtre.

J'ai contourné le lac en cœur et les grenouilles se jetaient dedans à mon passage. Le sentier était encore visible même si plus personne ne l'empruntait. Je l'ai emprunté. J'y voyais des traces de petits animaux et ça m'a rappelé d'être prudent ; je n'avais pas envie de marcher sur une couleuvre ou qu'un couguar me saute à la gorge, qui sait, alors je faisais du bruit et j'agitais les branches sur mon passage pour qu'ils s'enfuient. Mais peut-être étais-je en réalité en train de les énerver, je n'en savais rien. Je me tenais prêt à bondir dans un buisson à tout moment. C'était plus grisant que les sudokus.

Après une dizaine de minutes de marche, je suis arrivé près de la masse imposante de l'Icehouse. On s'y cognait presque le nez au détour du sentier. Le chalet n'était pas très large, plutôt en hauteur et, puisqu'il avait autrefois servi à entreposer de la glace, il avait peu de fenêtres : deux très hautes à l'arrière, qui donnaient sans doute à l'étage, et une près de la porte principale, à l'avant. Pas du tout un endroit où j'aurais eu envie de passer des vacances. J'ai frappé, au cas où je me serais trompé de chalet et qu'il aurait été habité. Pas de réponse. La seule chose qui troublait le silence était un de ces agaçants carillons métalliques qui tintent dans le vent, accroché au-dessus de ma tête. J'ai tourné la poignée et, sans surprise, la porte était verrouillée. Je me suis collé le nez à la fenêtre pour tenter de voir à l'intérieur, mais un rideau beige en dentelle m'en empêchait. Déception. Cette escapade ne m'avait pas occupé très longtemps.

Je me suis approché de la route et j'ai sorti mon téléphone. J'avais un signal. J'ai lu les grands titres des nouvelles en vitesse en m'assurant de ne pas mouiller l'appareil. Il y était encore question des morts de la veille. Trente-trois victimes dans le charnier de l'enseignant. Une nouvelle drogue faisait des ravages à Montréal. Tentative d'assassinat sur le pape. Des centaines de morts dans l'effondrement d'une usine textile au Bangladesh. J'en avais assez. J'ai vérifié mes courriels. J'aurais pu laisser faire, un envoi automatique prévenait les gens de mon absence, mais j'étais curieux. Je n'y ai pas trouvé grand-chose d'intéressant. Quelques personnes me souhaitaient un bon congé. Il y avait un message plus long d'Alex.

> *Salut, beau bonhomme ! J'ai appelé chez vous pour te souhaiter bonne fête (en retard, oui, désolé, tu me connais, bonne fête) et Martine m'a dit que t'étais en « congé préventif » et que tu t'étais isolé dans le bois. T'es en* burnout *ou quoi ? Qu'est-ce que tu fous dans le bois ? Tu dois t'ennuyer solidement, non ? Regarder dans le vide dans un chalet*

qui doit sentir le moisi et la fosse septique, c'est pas toi, ça. Tu vas pas te pendre, j'espère ? Pourquoi tu viendrais pas faire un tour à Londres plutôt que de tenter de vivre parmi les mulots et les chevreuils ? Il y a de l'action, les femmes sont belles et je t'offre mon canapé-lit aussi longtemps que ça te plaira. Allez, dis oui ! En plus, ça se pourrait que Daniel et Ève passent quelques jours en ville. (Avec leur enfant... je me souviens plus de son nom ni si c'est un gars ou une fille, ni quel âge il ou elle a. Bref.) Ils vont être deux semaines en Angleterre, ils ont finalement décidé de s'offrir des vacances. Avoue que t'as aucune raison de refuser ! Ça fait combien de temps qu'on s'est vus, tous les trois ? (C'est une vraie question, je me rappelle plus. Ce que je sais, c'est que ça fait beaucoup trop longtemps.) Allez. Laisse tomber les lacs vaseux, les sangsues, la contemplation des grenouilles et les mots croisés au coin du feu. De toute façon, tu sais pas plus que moi comment faire un feu. Je t'attends.

Mon amitié avec Alex datait de l'école secondaire, à Laval. Nous étions inséparables, à cette époque, lui, Daniel et moi. Évidemment, nous nous étions un peu perdus de vue, avec le temps. Il faut dire qu'ils ne m'ont pas facilité les choses : Daniel a fermé son magasin de disques de Montréal pour aller ouvrir une petite librairie à Paris où il vit avec Ève, sa blonde, et leur fille Madeleine. Alex s'est établi à Londres il y a trois ou quatre ans pour y poursuivre sa carrière d'auteur-compositeur. La décision de vivre en Europe a fini par s'imposer : à Paris, il est encore possible de tenir une librairie sans avoir besoin d'y vendre des accessoires de cuisine ou des objets-cadeaux. Et à Londres, Alex ne reçoit jamais d'injures de la part de « citoyens payeurs de taxes » qui l'accusent d'être un parasite qui vit aux crochets de la société. Un pays qui a engendré les Beatles sait reconnaître les mérites de la musique populaire.

Ils ne viennent pas souvent au Québec, et moi, avec les enfants, j'ai rarement l'occasion d'aller leur rendre visite. J'ai séjourné deux fois chez Daniel à Paris mais je ne suis encore jamais allé voir Alex.

C'était tentant. Mes amis me manquaient, mais j'avais besoin de me reposer. Ce que je ne ferais probablement pas si j'annulais ma location de chalet pour filer vers Londres. Une fois de plus, j'ai laissé la sagesse gagner. J'allais répondre à Alex, mais l'averse a pris de l'ampleur. J'ai préféré remettre mon téléphone dans ma poche et retourner au chalet.

Je suis repassé devant l'Icehouse et je me suis arrêté net devant la fenêtre. Quelqu'un avait tiré le rideau et je voyais maintenant à l'intérieur. La chose étrange, c'est qu'il n'y avait pas de lumière et qu'il semblait n'y avoir personne. Et si quelqu'un y était entré pendant que j'étais là, je l'aurais inévitablement vu passer. Je me suis approché de la fenêtre et j'ai collé mes mains de chaque côté de ma tête pour mieux voir. Il y avait une longue table et cinq chaises dépareillées. J'apercevais la cuisine, au fond, dans la pénombre. À droite, le salon, avec ses sofas en velours côtelé élimé. J'ai cogné à la porte, de grands coups fermes, et je suis revenu me poster à la fenêtre. Rien ne bougeait. J'ai pensé que ça aurait pu être un chat qui avait fait glisser le rideau en marchant sur le rebord de la fenêtre, alors j'ai cogné avec mes ongles sur la vitre pour l'attirer. J'ai sifflé. Je souhaitais vraiment que ce soit un chat qui ait déplacé ce rideau, parce que je ne comprenais pas ce que ça aurait pu être d'autre. Je pouvais distinguer le sol, près de la porte, et je tentais d'apercevoir des traces de pas ou de pattes dans la poussière. Il n'y avait rien. J'ai senti la chair de poule sur ma nuque et j'ai eu envie de retourner très vite d'où je venais. Même les tintements du carillon m'ont semblé sinistres. Il tournoyait alors qu'il n'y avait pas de vent.

J'ai contourné l'Icehouse sans un regard en arrière, sans prendre la peine d'inspecter les deux fenêtres à l'étage pour tenter d'y apercevoir un improbable chat qui ne laissait pas de traces dans la poussière. Le sentier était glissant, mais ça ne m'a pas empêché de courir jusqu'au chalet, en trébuchant parfois sur les herbes mouillées et en me rattrapant de justesse à une branche avant de m'étaler dans une flaque. Je suis entré en trombe et j'ai verrouillé derrière moi, comme si j'étais poursuivi par un monstre. J'étais à bout de souffle, envahi par la peur, et il m'a fallu quelques minutes avant de retrouver ma respiration normale. Je suis resté là longtemps, à dégoutter sur le plancher de la cuisine, sans bouger, à vouloir comprendre ce qui venait de se passer, mais avec l'esprit trop embrouillé pour réfléchir correctement. Lorsque je suis sorti de ma torpeur, j'ai retiré mon imperméable et j'ai débouché une des bouteilles de vin que je gardais pour d'éventuels invités. Mes mains tremblaient. Il me semblait entendre encore les bruits métalliques du carillon. J'ai tenté d'enlever mon chandail, mais il me collait au corps à cause de la transpiration ; je me suis énervé et je l'ai déchiré en tirant dessus comme un taré. Je me suis débarrassé du reste de mes vêtements en sacrant, je les ai laissés traîner en boule et je suis monté à la chambre pour en choisir d'autres.

Je suis retourné m'asseoir sur le sofa et j'ai respiré lentement et profondément, comme si j'étais un adepte de yoga et que je savais ce que je faisais. J'avais besoin d'oxygène. Et d'alcool. J'ai commencé à me détendre au deuxième verre. Au troisième, j'ai eu assez de courage pour déverrouiller la porte et sortir allumer le barbecue au gaz. Une grosse souris grise se promenait dedans et j'ai cogné sur le couvercle pour lui faire peur. J'ai attendu de la voir détaler avant d'ouvrir le gaz et de lancer une allumette. Une fois la grille bien chaude, j'y ai déposé une papillote de légumes et une bavette marinée en jetant régulièrement un œil derrière moi, du côté du lac. La pluie avait cessé. J'étais plus détendu, mais pas vraiment rassuré. Je n'aimais pas ce qui s'était passé à l'Icehouse.

J'ai préféré manger à l'intérieur.

Je ne suis ressorti que pour mettre un sac d'ordures dans une grande poubelle en métal. Le vent s'était levé. D'un air mauvais, j'ai regardé les arbres s'agiter. Je suis rentré, j'ai verrouillé les portes et j'ai fermé les rideaux. Je ne voyais pas comment je pourrais profiter de ces deux mois en restant seul ici. Je ne savais pas me détendre. Je perdais mon temps. J'allais revenir tout aussi fatigué qu'avant, avec des raideurs au cou, le teint blême et les dents serrées.

J'ai lavé la vaisselle. Et je me suis trouvé idiot. J'étais incapable de profiter du moment. Ou je n'avais rien ici pour en profiter. La perspective de m'abandonner à la contemplation d'un feu ne m'enchantait guère. Je n'avais ni envie d'apprendre à reconnaître les oiseaux du Québec par leur chant, ni de cueillir des champignons, ni de devenir un champion de sudokus. Je n'étais pas dans mon élément. Je devais retrouver mes repères. Je me suis promis d'aller faire une longue marche le lendemain pour m'aérer l'esprit, quitte à prendre la voiture pour rejoindre un sentier pédestre où je pourrais me promener sans risque ; la route la plus près avait une limite de soixante-dix kilomètres à l'heure, et les résidents y filaient à toute allure dans de vieux camions pourris. Je n'avais pas envie de finir comme le pékinois et qu'on ramasse mes entrailles à la pelle.

Je suis resté debout dans le salon un moment, les mains dans les poches, à ne pas savoir quoi faire. Je monte lire au lit, je feuillette des revues, j'ouvre un jeu de patience sur mon téléphone ? Je repeins la salle de bain ?

Je ne me rappelais plus c'était comment, être seul. J'essayais de me souvenir de cette solitude libératrice de mes voyages, mais c'était un concept lointain. Ces moments où les décisions ne dépendaient que de moi, n'impliquaient que moi, où j'étais libre d'aller où je voulais, sans attaches et sans responsabilités. J'avais vingt ans. C'était dans une autre vie.

Nul doute que le docteur Schloss me l'aurait déconseillé, mais je me disais que ça aurait été moins ennuyant d'être ici avec ma famille. Mais je n'aurais pas pu me reposer. L'idéal, si ça avait été possible, aurait été d'être seul avec Martine. Oui, je nous aurais bien vus, tous les deux ici, sans les enfants, avec du vin à profusion. Nous aurions pu être intimes plus qu'une heure ou deux. Nous aurions pu baiser ailleurs que dans la chambre. N'importe où. Paquetés. Et c'est lorsque nous sommes en état d'ébriété que nous avons le meilleur sexe, parce que nous nous laissons aller, désinhibés, cochons, moins centrés sur l'assouvissement du désir de l'autre et un peu plus dans l'action. Voilà ce dont j'avais envie. Pas de sudoku, pas de feu, pas de marche dans la nature : j'avais envie de baiser.

Et j'avais peu de chances que ça arrive.

J'ai versé ce qui restait de la bouteille de vin dans mon verre et je me suis étendu sur le sofa. Porté que j'étais par cette langueur érotique, des images explicites de la nymphomane aux tatouages me sont revenues en tête. Elle était sans doute droguée, et peut-être aussi un peu folle, mais elle m'avait désiré et c'était plutôt excitant. Il y avait longtemps que j'avais senti du désir sexuel envers moi dans les yeux d'une femme. À part dans ceux de Martine, évidemment, mais ça n'a rien à voir. Le désir d'une inconnue est surprenant, inattendu, rempli de possibilités, tandis que celui de la femme qui partage notre vie depuis des années est rassurant avant tout. Confortable.

J'ai glissé une main dans mon jean et je me suis caressé un peu en me disant que me masturber pourrait me détendre, mais je savais que ça me laisserait insatisfait.

C'était d'un véritable contact humain que j'avais envie. Chair contre chair. J'ai préféré abandonner. J'ai lu un peu en terminant mon vin et je suis monté me coucher.

J'ai tourné longtemps d'un côté et de l'autre, réarrangeant les couvertures et les oreillers, impatient, ivre, incapable de sombrer dans le sommeil. Je croyais bien que je ne m'endormirais jamais. J'ai fini par y arriver, pour ensuite me réveiller en sursaut, confus et désorienté. Quelque chose n'était pas normal, et ça m'a pris un moment avant de comprendre ce que c'était. La noirceur. La lumière de la salle de bain n'était pas allumée comme elle aurait dû l'être et, en y réfléchissant, je ne me rappelais plus si je l'avais éteinte ou non avant de monter me coucher. Émergeant lentement de la brume, je me suis aussi demandé ce qui m'avait fait sursauter de la sorte. J'étais assis sur le lit comme si j'avais été réveillé par un grand bruit et, pourtant, je n'entendais rien d'autre que le vent qui agitait les branches des arbres.

Et puis il y a eu un son métallique, quelque chose qui semblait rouler sur le sol. J'ai tout de suite su ce que c'était : une poubelle renversée par un animal, dans laquelle ladite bête s'offrait probablement un festin. À Blainville, un couple de ratons laveurs avait l'habitude de se disputer mes ordures. Ça devait être quelque chose de la sorte, j'espérais surtout que ce ne soit pas un animal plus gros. J'ai ouvert la lampe et j'ai regardé l'heure sur mon téléphone. Il était trois heures dix-sept. J'ai enfilé mon pantalon de pyjama et je suis sorti sur le balcon de la chambre, d'un pas mal assuré, encore engourdi par la fatigue et l'alcool, pour voir ce que c'était. Le fait d'être à l'étage m'évitait de me retrouver nez à nez avec un ours malcommode.

La poubelle était juste en dessous de moi, sur la terrasse, renversée sur le côté, et c'est le vent qui la faisait s'agiter. Le couvercle était dans l'herbe et, entre les deux, il y avait des détritus en lambeaux. Aucun animal en vue. Le repas nocturne était terminé. La poubelle était donc renversée depuis un moment, ce qui laissait planer un mystère sur ce qui m'avait réveillé.

J'ai allumé quelques lumières et je suis sorti avec un sac à ordures et un balai. Il y avait dans l'air un parfum de rosée et de champignon. J'ai ramassé tout ce que j'ai pu, mais le vent dispersait rapidement les débris dans toutes les directions. Quelques-uns approchaient du petit lac en cœur et je me suis dépêché de les rattraper, à quatre pattes, les deux mains dans l'eau. En me relevant, j'ai aperçu une forme blanche au milieu du lac. J'ai d'abord cru que c'était un déchet, un vieux sac en plastique peut-être, mais non. J'ai plissé les yeux pour mieux voir: c'était une femme. Elle me regardait. Intensément. Comme si elle essayait de lire en moi ou de communiquer par la pensée. *Catherine*, me suis-je dit. *Elle s'appelle Catherine et elle veut me tuer.* Je me suis souvenu de la description que les amis de Fritz et Michel leur avaient faite avant de prendre la fuite. Fidèle à ce qu'ils avaient décrit, cette femme, vêtue d'une longue robe usée, flottait sur l'eau. C'est fou comme notre scepticisme à l'égard des fantômes est vite mis à l'épreuve lorsqu'on en voit un.

J'ai tout laissé là, le balai, la poubelle, les ordures, et j'ai couru vers le chalet. J'ai trébuché sur la pelouse mouillée, je me suis relevé, j'ai renversé une chaise qui était sur mon chemin et je me suis agrippé à la poignée de porte qui refusait de tourner. J'ai hurlé en m'imaginant coincé dehors, je sentais la présence de cette chose dans mon dos. J'ai agité la poignée de haut en bas et de gauche à droite jusqu'à ce qu'elle s'ouvre. Je suis entré et j'ai claqué la porte derrière moi en la verrouillant avec les mains tremblantes. Je ne savais pas depuis combien de temps je retenais mon souffle, mais je me suis remis à respirer. Je me suis assis par terre parce que mes jambes refusaient de me porter plus loin. Il m'a fallu reprendre le contrôle de moi-même avant de pouvoir me relever et m'assurer que toutes les portes et les fenêtres étaient fermées et verrouillées. La gorge me brûlait, j'étais trempé de sueur, et le genou sur lequel j'étais tombé m'élançait. Je passais d'une pièce à l'autre en boitant.

Ce n'est qu'une fois les vérifications faites que je me suis souvenu que les fantômes traversaient les murs. Je n'étais donc qu'à moitié rassuré. J'ai refait le tour du chalet, cette fois en allumant toutes les lumières. Il m'a semblé qu'un spectre dans la lumière crue était moins effrayant que dans la pénombre. J'ai trouvé des raquettes de tennis rangées dans un coffre et, même si un objet contondant s'avérait probablement inutile si je devais lutter contre un fantôme, ça m'a donné du courage d'en prendre une avec moi. Je l'ai posée sur le sofa du salon où me suis assis pour monter la garde. Tenter de dormir n'était plus une option.

J'avais tous les sens en alerte, les nerfs tendus, je guettais le moindre craquement du plancher. Les fantômes font-ils du bruit ? Peuvent-ils vraiment tuer les gens ? Avais-je rêvé cette femme sur le lac ? Je me disais que je devrais regarder à nouveau, au moins vérifier si cette chose était encore au même endroit ou si elle s'était déplacée. J'ai ouvert le rhum que je prévoyais utiliser pour une recette et je m'en suis servi un grand verre avec deux glaçons. J'espérais que m'engourdir les sens m'empêcherait de me remettre à hurler de terreur. J'ai tenté de me convaincre que ce que j'avais vu n'était rien d'autre qu'un reflet de la lune sur le lac, qui m'avait rappelé l'histoire de Fritz et, alors que j'étais à demi éveillé, mon imagination et mon abus d'alcool avaient fait le reste. Je n'y arrivais pas.

De la cuisine, j'entendais un bruit à l'étage. Un grattement sur une moustiquaire, aurait-on dit. Comme quelque chose qui essaierait de l'ouvrir avec ses griffes pour entrer. J'ai bu quelques gorgées en attendant d'avoir assez de courage pour monter l'escalier.

La fenêtre était toujours fermée. Il m'a fallu m'en approcher de très près pour voir ce qui causait ce bruit. Rien d'autre qu'une branche agitée par le vent, qui claquait contre la moustiquaire. Rassuré par cette explication logique, j'ai ouvert la porte et je me suis avancé sur le balcon. La lune se reflétait dans le lac et ça ne ressemblait pas à ce que j'avais vu. Impossible de confondre les deux. J'avais bel et bien aperçu une femme avec une grande robe blanche qui me fixait d'un regard glacial. Un regard mort. J'entendais des craquements sinistres venant des coins d'ombre. Quelque chose est sorti d'un buisson, une forme avec du blanc dessus. J'ai bondi dans le chalet et j'ai claqué la porte. Fantôme ou moufette, j'étais trop à cran pour prendre le temps de m'en assurer.

À quatre heures du matin, mes valises étaient bouclées. J'ai attendu que le jour se lève, pas question de tenter de fuir dans l'obscurité. J'avais trop peur de ce que je pourrais croiser sur le chemin. Une heure plus tard, j'ai balancé mes affaires dans la jeep en prenant soin de ne pas regarder en direction du lac. J'ai filé, roulant beaucoup trop vite sur le chemin étroit. J'ai freiné devant la maison de Murray et Louvin, et j'ai klaxonné. J'ai vu des lumières s'allumer et Fritz est sorti en ajustant sa robe de chambre. Il lui a suffi de voir ma gueule d'ahuri décoiffé pour comprendre que je partais pour ne plus revenir.

— Je crois bien que j'ai vu votre fantôme.

— Je suis désolé. On va te rembourser le reste de ton séjour, évidemment. Veux-tu entrer ? On connaît quelques personnes dans les environs qui auraient peut-être encore un chalet à louer.

— Merci, Fritz. C'est gentil, mais c'est pas de ça que j'ai besoin. En ce moment, la solitude, ça me fait pas.

— Tu vas aller où ?

— Pour l'instant, je vais rentrer chez moi.

Je lui ai rendu les clés et je l'ai remercié pour tout en lui serrant la main. J'ai salué Michel qui observait ce qui se passait par la fenêtre et je suis parti. J'ai repris la route et j'ai roulé lentement, sans musique, de mauvaise humeur. Je ne pouvais m'empêcher de voir mon retour à la maison comme un échec. J'avais ce que tout homme en couple avec deux enfants est en droit de vouloir : du temps seul avec moi-même, sans responsabilités. La paix. Mais je ne savais plus comment vivre tout seul. Je redevenais un gamin effrayé qui avait peur des ombres de la nuit, qui dormait avec une veilleuse. Mon imagination s'emballait dès que je voyais un machin blanc qui flotte sur un lac ou un rideau déplacé par un coup de vent dans un chalet abandonné.

Je me suis arrêté au premier restaurant ouvert que j'ai trouvé sur mon chemin. Je ne voulais pas rentrer trop tôt. Je ne voulais pas rentrer, d'abord, mais encore moins en réveillant la maisonnée et en me faisant poser dix mille questions par une Martine inquiète avant même d'avoir pris un café.

Je me sentais déjà mieux rien qu'à être là, dans une cantine défraîchie, assis à une table avec vue sur la route, à regarder entrer et sortir les travailleurs et les lève-tôt. L'effet calmant de la normalité. La serveuse a appuyé ses grosses cuisses sur ma table et a rempli ma tasse d'un café brûlant en m'énumérant les plats du jour. Son ventre et ses seins immenses me touchaient presque. Le déjeuner « camionneur » me tentait, elle a approuvé mon choix d'un hochement de tête en y allant d'un gribouillis rapide sur son calepin de factures.

— Pain blanc, pain brun ?

— Brun.

— Les œufs ?

— Tournés.

— Jambon, bacon, saucisse? Les trois?

— Bacon.

Ce bref échange d'informations me faisait du bien, je regrettais que ce soit déjà terminé. Parler à quelqu'un était beaucoup plus sain que me morfondre en silence dans un chalet parmi les bêtes sauvages et les fantômes.

— Si t'as besoin d'autre chose, mon nom, c'est Cécile.

— Merci, Cécile.

Je me suis retenu de la serrer dans mes bras. Je me suis plutôt jeté sur le journal dès qu'elle est repartie avec ma commande. J'avais un urgent besoin de nouvelles fraîches, pour surmonter le traumatisme d'avoir été pratiquement coupé du monde l'espace de quelques jours. Des forêts brûlaient. Des gouvernements se faisaient renverser. Des banques réalisaient des profits records. Des maires soupçonnés de corruption se suicidaient. Le gouvernement sabrait le budget des écoles afin de réduire la dette pour le bien de nos enfants. Un itinérant drogué avait dévoré le visage d'un policier. La normalité, c'était ça. Un des hippopotames de Pablo Escobar s'était évadé de son zoo et avait été abattu. Au Brésil, des partisans avaient vengé un joueur de soccer après qu'il eut été poignardé par un arbitre. La foule l'avait lapidé, écartelé, et sa tête avait fini sur un pieu. J'ai lu le journal de la première page jusqu'à la dernière, en mangeant tout ce que j'avais dans mon assiette et en reprenant plusieurs fois du café.

Mon ventre faisait des bruits de liquide qui ballotte lorsque je suis retourné à la jeep. J'ai roulé quelques kilomètres sur la route presque déserte, la tête vide, beaucoup plus détendu que je l'étais quelques heures auparavant. J'ai vu une affiche « Chiots à vendre » au bord de la route et je me suis garé devant trois voitures. À l'arrière de la maison, il y avait un attroupement autour d'une cage où jouaient une femelle carlin et sa portée, cinq petites bêtes beiges pleines de vie. J'ai observé les chiots un moment et je me suis interposé d'une voix forte pendant que des parents dépassés par les supplications de leur marmaille tentaient de choisir.

— Je vais prendre lui et lui.

On s'est retourné pour me dévisager comme si j'étais un intrus. L'éleveur m'a souri et a sorti les deux chiens de la cage, sous le regard ahuri des gens à qui l'on arrachait ces possibilités. Un mâle et une femelle. Il m'a donné quelques directives en les installant dans une boîte de carton avec un jouet à mâchouiller. Il m'a raccompagné jusqu'à la jeep, où je lui ai signé un chèque.

J'ai fait la route en sens inverse et je me suis arrêté devant la maison. Je ne pouvais pas me tromper d'endroit : l'Haïtien qui pêchait sur la pelouse, le Mexicain qui guidait son âne droit vers un mur et la Sainte Vierge qui priait dans un bain étaient des repères fiables. J'ai saisi la femelle carlin et je suis allé sonner. Après un moment d'attente, une petite brunette de six ou sept ans est venue m'ouvrir.

— Allo.
— Allo ! Est-ce que c'est toi, Shékira ?
— Oui. Toi, vous êtes qui ? Pis lui, c'est qui ?
— Moi, c'est Nicolas. Dis-moi : est-ce que ton père t'a acheté un nouveau chien ?

— Pas encore, pourquoi ? Comment ça que vous savez que Croquette est morte ?

— Mmm. J'en ai entendu parler. Tiens.

Je lui ai mis le chiot dans les mains. Elle a écarquillé grand les yeux, se demandant comment réagir.

— Si tu la veux, je te la donne. C'est une femelle.

— Ben là, oui ! Je vais l'appeler Croquette !

— Euh. Comme ton autre chien ?

— Ouiiiiii ! Comme les trois autres que j'ai eus avant lui !

— Eh ben. C'est comme tu veux, j'imagine.

— Merci, monsieuuuuuur ! Merci, merci, merci, merciiiii ! J'espère que tu te feras pas écrapoutir comme les autres, ma belle Croquette !

Elle a suivi Croquette, partie explorer sa nouvelle maison. J'ai patienté dehors et j'ai entendu Shékira parler avec son père et sa belle-mère. Les deux sont finalement venus m'accueillir. Pour me remercier, la nymphomane m'a serré longuement dans ses bras. Je sentais qu'elle n'avait pas de soutien-gorge, mais je ne me suis pas inquiété, elle semblait beaucoup moins soûle et droguée qu'à notre première rencontre. J'ai réussi à me libérer, je lui ai souhaité une bonne journée, et son copain m'a raccompagné à la jeep.

— C'est vraiment fin. J'ai l'air d'un mangeux de marde, là, hein ? Je sais que ça paraît mal, mais on avait une couple de factures urgentes à payer.

— Je comprends ça ! Un Ford F-150 tout équipé, ça doit pas se payer tout seul, hein ? Ça me fait plaisir de lui offrir une Croquette de remplacement.

J'espérais qu'il n'allait pas lui aussi me serrer dans ses bras. Il s'est contenté d'une poignée de main ferme et virile, puis s'est allumé une nouvelle cigarette, à l'aide de celle qu'il avait déjà à la bouche, en me regardant partir. Le carlin restant somnolait dans sa boîte. Je lui ai dit que nous allions à la maison. Aussi peu enthousiaste que je l'étais, il a poussé un petit gémissement.

3.
BLAINVILLE

Aimable, Martine avait profité de mon absence pour inviter à souper des amis à elle que je n'appréciais pas beaucoup. Le problème, c'est que j'étais revenu. Je ne serais pas allé jusqu'à lui demander d'annuler; si je ne voulais pas les voir, je n'avais qu'à aller faire un tour pour la soirée. Comme j'aimais le rappeler à Martine, je n'avais rien contre eux, mais je n'avais rien pour eux non plus. C'est surtout que leurs sujets de conversation m'ennuyaient. De plus, ils s'appelaient Marie-Soleil et Jean-Sébastien. Pourquoi? Qu'y a-t-il de mal avec «Marie» et «Jean»? Pourquoi leurs parents avaient-ils jugé nécessaire de les affubler d'un deuxième prénom complètement superflu? Avec un nom pareil, Marie-Soleil ne pouvait devenir autre chose qu'éducatrice en garderie. Et c'est ce qu'elle était devenue. C'est à ce moment, j'imagine, qu'elle s'est mise à s'exprimer comme une débile, disant «j'ai fait un atchou» pour parler d'éternuement, et à mimer presque toutes ses phrases, comme s'il était impossible de savoir ce qu'est un chapeau ou une robe sans l'aide de ses grands gestes.

Jean-Sébastien est serveur dans un chic restaurant français alors, par contagion, il se croit chic et français. Personne ne lui a expliqué que porter une chemise blanche et une étroite cravate noire cinq soirs par semaine dans le cadre de son travail ne change rien à sa gueule de consanguin luisant né dans la cave humide d'un *bungalow* à Lanoraie. Marie-Soleil est plutôt jolie, c'est à se demander ce qu'elle fait avec ce singe. Mince et menue, avec une jolie coupe courte et asymétrique, elle a le genre de physique qui rendrait possibles une multitude de positions sexuelles audacieuses et acrobatiques. Mais il suffit qu'elle ouvre la bouche et m'abreuve d'anecdotes inintéressantes sur la vie de ses petits braillards pour que disparaissent mes pensées érotiques à son égard. Et puis visualiser Jean-Sébastien plongeant la main dans ses cheveux pour la guider vers sa bite que j'imagine large et courte suffit à m'enlever toute envie d'elle.

L'affaire, avec ces deux-là, c'est qu'ils sont gentils. S'il est facile de détester les gentils, il est difficile de leur faire savoir qu'on les déteste. Leur gentillesse les rend inattaquables. Et, paradoxalement, c'est la raison pour laquelle on aurait envie de les brutaliser. Leur perfection les rend insignifiants. Leur insignifiance les rend parfaits. Marie-Soleil et Jean-Sébastien forment un tout sans aspérités qui se suffit à lui-même. L'avis des autres leur importe peu. Comme si ce n'était pas déjà assez rebutant, ils ont deux enfants propres et bien élevés qui rangent leurs chambres, n'aiment pas le sucre sauf s'il provient de fruits frais, et savent jouer aux échecs, mais laissent parfois gagner les adversaires moins bons qu'eux. Louis-Samuel et Fanny-Maude m'horripilent autant que leurs parents. Par comparaison, mes enfants semblent avoir été élevés par une famille de chacals.

À peine quelques heures après mon retour, je me suis donc retrouvé à couper des légumes pour la salade avec un verre de chablis à portée de main. J'avais jugé préférable de m'offrir une pause de pause d'alcool pour mieux supporter les invités. La carbonade flamande de Ricardo cuisait lentement dans la mijoteuse. Ariane et Zacharie jouaient dans la cour avec le pug, qu'ils avaient nommé Conrad d'un commun accord. Et même si ça me dérangeait un peu parce que Conrad était le nom de mon défunt père, il était si rare que ces deux-là soient d'accord sur quelque chose que j'avais préféré me taire. Ils croyaient sans doute lui rendre un vibrant hommage en donnant le nom de leur grand-père à un chien aux yeux croches qui pisse partout et qui s'étourdit en courant après son inaccessible petite queue en tire-bouchon.

Lorsque les convives sont arrivés, j'étais juste assez ivre pour me permettre de les accueillir avec le sourire. J'ai guidé les enfants avec trop de noms vers le sous-sol où les attendait déjà notre gardienne avec Ariane, Zacharie et Conrad. J'ai vite mis des coupes entre les mains de Marie-Soleil et de Jean-Sébastien, simple prétexte pour remplir une fois de plus la mienne. Martine, qui se demandait encore ce qu'elle allait porter l'instant d'avant, a descendu l'escalier pour nous rejoindre, vêtue d'une jolie robe rouge à pois qui soulignait ses courbes et ses rondeurs. Avec ses longs cheveux noirs et sa frange, elle avait l'air d'une *pin up* sexy de spectacle burlesque. Jean-Sébastien l'a déshabillée des yeux avec juste un peu trop d'insistance, et j'ai fait semblant de ne rien remarquer, j'espérais ne pas être celui qui allait gâcher l'ambiance.

Ou, du moins, j'espérais ne pas la gâcher si tôt.

Les femmes se sont complimentées sur leurs vêtements en se tâtant ici et là pour souligner à quel point tout ça leur faisait bien. Je me serais bien joint à la fête ; Marie-Soleil portait une jupe courte qui dévoilait ses cuisses et une blouse avec le décolleté révélateur d'une femme à petits seins qui croit qu'ils ne font d'effet à personne. J'ai tenté d'être optimiste ; la soirée serait peut-être supportable, malgré tout.

Martine et Marie-Soleil sont sorties dans la cour pour partager une cigarette et reprendre le fil de leur vie. C'était le moment où je devais trouver un sujet de conversation pour occuper Jean-Sébastien, mais rien ne venait. Je me suis assis sur un accoudoir du canapé pendant qu'il restait debout, au milieu du salon, à chercher lui aussi quoi dire pour meubler le silence. Il s'est approché d'une plante et l'a palpée.

— C'est dingue, ils réussissent vraiment à en faire qui ressemblent à des vraies, non ?

— C'est une vraie.

— Ah, oh, oui. Eh bien. En tout cas, vous êtes bons. Chez nous, les plantes, ça dure pas.

J'ai approuvé d'un lent hochement de tête, le regard absent. J'ai bu. Je me suis retenu de vérifier l'heure, d'allumer le téléviseur ou de monter me coucher.

— Or, donc, Marie-Soleil me racontait que t'es revenu ?

J'ai hésité entre répondre « non » et « comme tu vois », mais, devant mon silence qui soulignait l'insignifiance de sa question, il a enchaîné :

— Le chalet, c'était pas reposant ?
— Disons que la frontière entre se reposer et s'ennuyer à mourir est plutôt mince. J'ai peut-être besoin d'une destination plus stimulante.

Il a semblé en chercher une pendant un petit moment, sans rien trouver. Nous étions tous deux dans l'attente d'une intervention divine pour briser le silence de malaise lorsque les femmes sont rentrées. Nous nous sommes empressés d'aller les rejoindre à la cuisine et de remplir nos verres. Marie-Soleil faisait déjà son monologue habituel sur la vie trépidante d'une éducatrice en garderie, reprenant à peine son souffle entre deux phrases. Martine était patiente et affichait un air intéressé, comme si elle n'avait jamais eu d'enfants et ne savait pas à quoi ça pouvait bien ressembler. Elle était meilleure que moi. Je n'arrivais pas à rester attentif et je suis vite tombé dans la contemplation du parquet de bois franc pendant que défilaient des mots-clés m'informant que nous n'avions toujours pas changé de sujet : collations, allergies, arachides, gluten, lactose, bagarres, conflits, cris, pleurs, discipline, punitions, difficulté d'apprentissage, troubles affectifs, puces, poux, punaises, lentes, lecture, chansons, clowns, ballounes, caca. Martine a réussi à orienter la conversation vers des lieux communs : les derniers livres lus, les dernières séries télé regardées, ce qui était déjà mieux et me permettait au moins de participer. Nous avons surfé là-dessus jusqu'à l'heure du souper et nous nous sommes installés à table après être allés porter leurs assiettes aux enfants et à Lily-Océane, la jeune gardienne, qui était en parfait contrôle de la situation ; il y avait assez d'appareils électroniques pour tout le monde.

La salade était à peine servie que Marie-Soleil m'a posé la question qui devait arriver tôt ou tard.

— Faque là, sans vouloir être indiscrète, c'est quoi qui a fait que t'as été voir le docteur pour avoir un congé ? Ton épuisement professionnel, ça, je suis au courant, mais est-ce qu'il s'est passé quelque chose en particulier pour que tu te décides à aller le voir ?

J'ai mâché lentement ma bouchée de salade et je l'ai avalée avant de répondre. Martine me regardait, un peu inquiète, sachant que je n'avais pas raconté cette histoire à beaucoup de gens. Je lui ai fait signe que ça allait ; ce que ces deux-là pouvaient penser me laissait plutôt indifférent.

— Un scooter.

J'ai gardé le silence de façon dramatique pour augmenter le suspense avant de reprendre.

— L'ado d'à côté s'est acheté un scooter au début de l'été. Ou il en a reçu un, je sais pas trop. Le problème, c'est qu'il a pas encore passé son permis, alors il a pas le droit de le conduire. Il se contente donc de faire le tour du bloc. Sans arrêt. Il peut tourner pendant des heures sans se tanner. Je me suis tanné avant lui. Au début, je suis resté poli, à lui expliquer qu'un scooter, ça fait beaucoup de bruit et que c'est un peu lassant de l'écouter aller et venir toute la journée. Il m'a dit que j'étais pas son père, que j'étais un câlisse de vieux con et m'a envoyé chier, avant de repartir pour quelques tours. J'y suis retourné la nuit avec un bâton de baseball et un briquet. J'ai défoncé le réservoir à essence et j'y ai mis le feu. Attaque rapide et chirurgicale, pas de témoin, pas de preuve, mais le *kid* saurait que c'était moi et arrêterait de me faire chier.

Marie-Soleil m'a regardé avec un sourcil en l'air.

— Je le sais ben, ça se fait pas. C'est juste un ado idiot. Je pense bien que c'est là que Martine m'a dit que j'étais peut-être un petit peu fatigué et qu'une visite chez le docteur me ferait pas de mal.

— Non. C'est le lendemain, quand t'es sorti dans la cour pour lancer des roches à un oiseau en lui criant de fermer sa gueule.

— T'es un oiseau : le seul talent que t'as, c'est de savoir chanter. Es-tu obligé de faire toujours les trois mêmes petites crisses de notes ? Bref. Je précise que j'ai mis de l'argent dans une enveloppe anonyme pour que les parents du jeune imbécile lui achètent un autre scooter quand il va avoir l'âge pour le conduire.

Le bruit d'un scooter qui passait juste à ce moment dans la rue nous a fait tendre l'oreille. Marie-Soleil et Jean-Sébastien m'ont regardé pour voir si j'allais péter les plombs, m'emparer d'une barre à clous et sortir de la maison en hurlant, l'écume à la bouche. Il faut dire que mon retour précipité du chalet n'avait rien de rassurant.

— Je vais mieux, là. Je me repose.

J'ai resservi du vin à tout le monde avec un grand sourire pour achever de les convaincre. Ça les a convaincus. Nous avons pu passer à autre chose. Au moment de goûter la carbonade, la discussion avait dérivé vers le couple et le sexe. Jean-Sébastien classait les différentes formes de trips à trois. Visiblement, il avait expérimenté la chose.

— Le mieux, c'est quand t'es célibataire, avec deux filles. Pas de tension, pas de malaise. Si tu fais ça avec un couple, déjà, tu te sens un peu utilisé par les deux autres, et tu te demandes toujours si le gars va pas faire une crise de jalousie parce que sa blonde s'occupe un peu trop de toi et pas assez de lui. Si tu baises avec ta blonde et une autre fille, ta blonde va avoir peur que tu t'enfuies avec l'invitée. Ce qui arrive jamais, mais ça l'empêche pas de s'inquiéter. Le plus problématique, curieusement, c'est quand t'invites un autre gars pour faire plaisir à ta blonde.

Ni Martine ni moi ne savions quel était le problème. Pour ma part, j'étais en train de perdre l'appétit et la conversation aurait pu s'arrêter là. C'est Marie-Soleil qui nous a éclairés :

— La fille, quand elle a envie de coucher avec un gars, c'est rare qu'elle a aucun sentiment envers lui. Ça peut être dangereux. On s'est aperçus que faire ça à quatre, ça minimisait les risques. Quand tu couches avec un autre couple, on dirait que ça allège le côté émotif.

En voilà deux qui avaient une sexualité débridée. On ne le croirait pas en les voyant. Pour un instant, j'ai eu peur que sa dernière intervention soit une invitation à monter à la chambre tous les quatre. Je n'avais plus faim. Marie-Soleil a poursuivi :

— Nous deux, on a réglé ça dès le début. C'était clair autant pour lui que pour moi qu'on s'était trouvés, qu'on voulait passer notre vie ensemble. Sauf que de plus jamais coucher avec d'autres, ça nous tentait pas. Une règle simple : si on couche ailleurs, on s'en parle pas. On couche pas plus qu'une fois avec la même personne. Et si c'est possible, on le fait ensemble.

Les images de Jean-Sébastien en train de copuler qui me venaient en tête me dégoûtaient, mais l'entente dans son couple me rendait un peu jaloux. Le genre de chose dont j'aurais dû parler dès le début avec Martine. Parce qu'après un certain temps ça devient un sujet délicat. Avoir envie d'un trip à trois après quelques années de monogamie revient à dire qu'on a envie de coucher avec d'autres femmes, et c'est plutôt mal vu. Ça amène des questions qu'il vaut mieux ne jamais se faire poser pour éviter d'avoir à y répondre. « T'es pas satisfait avec moi ? Tu me désires moins qu'avant ? Avec laquelle de mes amies tu coucherais ? Ça fait longtemps que t'as envie d'elle ? » Les pièges de ce genre de conversation sont trop nombreux pour que j'aie le goût d'aborder le sujet. Et puis il m'a toujours semblé que les gens dans des couples ouverts s'imposent des tas de règles contraignantes qu'ils interprètent ensuite chacun à leur façon pour mieux les transgresser. Ça a l'air compliqué. Pour moi, c'est donc fidélité et une seule partenaire jusqu'à la fin des temps. Fidélité infaillible, si on exclut une petite aventure isolée sans conséquence. Je n'avais rien demandé, ça m'était tombé dessus à un moment où tout allait bien entre Martine et moi. Nous ne vivions pas de crise majeure, je n'étais pas en remise en question, rien. Même si ça me donne un rôle peu aimable, je ne peux omettre que ça s'est produit au moment où Martine était enceinte de notre premier enfant.

Il m'a fallu quelques années avant de comprendre ce qui m'a pris. C'était pourtant tout simple : je savais que j'allais passer ma vie avec Martine. C'est une excellente nouvelle, cette impression d'avoir trouvé la femme qui nous convient. Alors que d'autres sont encore à chercher la bonne à trente ans, et puis à quarante, et souvent plus tard encore, il y a là un accomplissement. Mais ce sentiment grisant s'accompagne aussi d'un constat déprimant, comme l'avait mentionné Marie-Soleil. Voilà, c'est elle, j'ai rencontré la femme à qui je serai fidèle, je ne trousserai donc plus jamais la robe d'une autre. Elle a les cheveux noirs, je ne plongerai donc plus jamais mon nez dans les cheveux d'une blonde, d'une rousse ou d'une brune pour respirer le parfum de son cou. Elle a des seins de taille moyenne, je ne tiendrai donc plus jamais dans mes mains de petits seins fermes ou de gros seins lourds. Plus jamais je n'aurai la surprise de découvrir une épilation nouvelle dans une culotte où je glisse une main pour la première fois. Plus jamais je n'aurai cette érection puissante qui menace d'exploser comme celle que l'on a lorsqu'une femme qu'on connaît à peine se déshabille pour nous ou qu'elle nous embrasse à pleine bouche.

Sur les plans émotif et sexuel, il y avait beaucoup de choses dont je devais faire le deuil. Alors j'avais paniqué. Dans un dernier sursaut d'animalité avant de devenir père de famille, je m'étais laissé aller à draguer impunément une coursière à vélo, une jeune blonde athlétique qui livrait des colis à la petite fabrique de meubles que nous possédions, à l'époque, mes sœurs et moi. Elle s'appelait Lou.

Chaque fois que Lou passait, je me précipitais pour ramasser les enveloppes et les paquets qu'elle apportait. Elle entrait habituellement par la porte de garage, lorsqu'elle était ouverte, et roulait jusqu'à un bureau installé dans un coin, au fond. Souvent, elle ne descendait même pas de son vélo. Je signais les reçus en essayant d'entamer une conversation, mais elle avait chaque fois cette nonchalance troublante, elle mâchait sa gomme en regardant ailleurs, alors que moi j'emmagasinais des images de ses seins ballants sous un chandail et de ses fesses fermes moulées dans l'un ou l'autre de ses shorts, souvent très courts, à quelques millimètres de l'indécence. Elle me faisait la grâce de ne jamais porter ces cuissards de cycliste que j'ai toujours trouvés affreux. Les choses s'étaient précipitées une fois où elle était arrivée vêtue d'une camisole blanche très mince avec rien dessous. Ça soulignait bien l'anneau qu'elle avait au mamelon droit, et je l'avais fixé un peu plus longtemps que la politesse ne le permettait. Elle l'avait remarqué et m'avait souri d'une manière engageante et décontractée. Ça m'avait fait un drôle d'effet. Il y avait peut-être là matière à amorcer la conversation : son *piercing* au mamelon. Elle m'avait vu le reluquer. Aborder le sujet me semblait déplacé, mais aborder tout autre sujet me semblait hypocrite. J'avais la bouche ouverte, de l'air dans les poumons, j'étais prêt à parler, mais j'ignorais quoi dire ou ne pas dire. Alors j'ai bredouillé n'importe quoi.

— Euh. Désolé. Je voulais pas... Je...
— Pas de problème, Nicolas. J'ai l'habitude.

Je n'aurais même pas pu m'imaginer qu'elle savait mon nom, qu'elle me demandait toujours au moment de la signature et qu'elle semblait oublier aussitôt. J'ai dégluti, sentant que j'allais bientôt manquer de salive et que je serais incapable de prononcer le moindre mot. Le bon sens m'invitait à changer de sujet, mais je n'ai pas pris son avis en considération.

— Ça... euh... C'est sensible ?
— Oui. C'est ça qui est le *fun*. Quand le tissu de mon linge glisse dessus, ça me donne parfois l'impression qu'on me lèche le mamelon.

Elle ne m'avait jamais regardé avec autant d'insistance. Et elle a bien vu qu'à ce moment je n'avais plus qu'une seule envie : lécher ce mamelon. Lui lécher les seins, le ventre et la chatte. Me coucher sur le dos, m'agripper à ses hanches et la regarder me chevaucher. C'est elle qui a fait basculer les choses du fantasme à la réalité.

— J'habite à dix minutes d'ici et j'ai une heure pour dîner.

Elle a pris ma main et m'a écrit l'adresse dans la paume. Puis elle est partie en enfourchant son vélo, sans un regard en arrière. J'ai vu ses fesses se trémousser, ses cuisses nues, et je n'ai pas vraiment réfléchi. J'ai trouvé la première de mes sœurs qui passait par là, je crois bien que c'était Corinne, mais je ne suis certain de rien, je ne voyais plus clair. Je lui ai grogné d'une voix rauque que je sortais une heure pour manger et, lorsqu'elle m'a fait remarquer que j'avais dîné il y avait à peine quarante-cinq minutes, j'étais déjà dehors et je trottinais jusqu'à ma voiture, cherchant fiévreusement la clé dans mon trousseau.

Un instant plus tard, je cognais à la porte de chez Lou. Je ne me souvenais même plus de m'être garé. Pas de réponse. J'ai tourné la poignée, c'était ouvert. Je suis entré et j'ai fermé la porte derrière moi. J'entendais de l'eau couler. Le temps que je repère la salle de bain, elle a refermé les robinets et est sortie de la douche sans prendre la peine de s'éponger avec une serviette. Elle m'a fait signe de la suivre et m'a guidé jusqu'au salon.

— Lèche-moi.

Il était trop tard pour reculer. J'avais envie de lécher son corps d'un bout à l'autre, et c'est ce que j'ai fait. J'ai séché Lou avec ma langue en me déshabillant. J'ai aspiré la moindre goutte d'eau avec mes lèvres. Elle se laissait faire avec docilité, penchait la tête vers l'avant pour que je puisse lécher son cou et cambrait le dos en s'appuyant sur un sofa pour que je passe ma langue entre ses fesses.

Une fois qu'il n'y a plus eu que ses courts cheveux blonds d'encore mouillés, je me suis étendu sur le sofa en l'attirant vers moi et elle s'est accroupie pour glisser sa fente sur ma bouche. Elle a attendu d'être au bord de l'orgasme pour changer de position. Elle s'est assise sur ma queue et a collé sa bouche à la mienne en fixant le tempo, lent et régulier, en faisant tourner son bassin. Et c'est comme ça que nous avons joui, très vite et presque en même temps, nos spasmes et nos gémissements excitant l'autre, et nous n'avons plus bougé avant d'avoir repris notre souffle.

Je savais que je vivais un moment rare et j'emmagasinais le moindre détail. Sa peau sous mes doigts, l'odeur de ses cheveux, son haleine chaude, le parfum de cannelle de sa fente, le doux mouvement circulaire de son pubis épilé qu'elle faisait encore, machinalement, sur mon pénis au repos. Douze ans plus tard, je me souviens de tout.

J'étais sorti de chez elle plutôt détendu, en me frottant la paume avec le pouce pour effacer son adresse. La tension sexuelle que Lou me causait était retombée, je savais que je serais capable de me contenter d'une seule fois, quitte à me remémorer souvent cette petite heure dont je ne parlerais à personne. Je ne croyais pas que cet écart de conduite détruirait mon couple, et la suite m'a prouvé que j'avais raison : lors des passages de Lou, elle n'a jamais fait la moindre allusion à cette baise spontanée, n'était pas plus volubile qu'avant, elle était à peine un peu plus souriante avec moi, rien qui aurait pu éveiller des soupçons chez l'une ou l'autre de mes sœurs. Elle ne serait pas le genre à venir cogner chez moi en pleine nuit pour crier qu'elle était tombée amoureuse ou quelque chose du même genre. Il aurait peut-être suffi d'un mot ou d'un geste pour que nous nous retrouvions de nouveau ensemble, mais mettre mon couple en péril ne me semblait pas être une saine habitude de vie. Et Lou, avec sa beauté sauvage et intimidante, n'avait sans doute qu'à choisir un homme dans une foule et lui dire de la suivre jusque chez elle pour s'en faire un amant.

J'allais devoir vivre avec le fait que j'avais trompé Martine. Pendant qu'elle était enceinte. Curieusement, je savais déjà que ça ne remettait rien en question. Martine l'aurait sûrement vu autrement, mais, à mon sens, ça ne diminuait pas du tout l'amour que j'avais pour elle. Apprendre que je l'avais trompée, elle se serait jetée sur moi pour m'égorger. Je savais qu'elle ne comprendrait pas, alors c'était réglé: à moi et à moi seul de vivre avec le poids émotif de ce petit écart illicite.

Bon, oui, j'avais fini par tout révéler à Daniel et Alex, lors d'une soirée où nous avions échangé quelques confidences sur nos vies amoureuses, mais personne d'autre n'était au courant.

Avec Martine, la vie avait continué comme avant, sans que m'assaillent les remords qui m'auraient forcé à tout avouer, à genoux, en m'excusant mille fois. C'est étonnant, ces choses qu'on fait parfois, dont on ne se serait jamais cru capable.

À la fabrique de meubles, un autre coursier a pris la relève. Guy, un barbu aux cheveux longs. Beaucoup moins agréable à l'œil que Lou. Lorsque je lui ai demandé si elle avait changé de route, ou d'emploi, il m'a simplement dit qu'il n'en savait rien. Il ne connaissait pas de Lou, n'avait jamais entendu parler d'elle, et même sa description physique, dans laquelle j'avais mis beaucoup d'adjectifs affriolants pour l'aider à se rappeler, n'éveillait rien chez lui.

Lou n'était plus une tentation, mais un agréable souvenir. C'était presque comme si elle n'avait jamais existé, et c'était parfait comme ça. Et, avec le recul, je me dis que j'ai bien fait de me taire, de ne pas avouer cette histoire à Martine. Douze ans plus tard, avec toutes les crises que nous avons traversées, elle et moi, sans jamais avoir eu envie de se quitter, cet incident me semble puéril.

C'est l'alerte du cellulaire de Martine qui m'a sorti de mes pensées. Elle a regardé brièvement le texto qui venait d'arriver et elle a souri, un sourire en coin, rapide, presque imperceptible, puis elle s'est concentrée de nouveau sur la conversation. Jean-Sébastien expliquait les activités sexuelles peu salissantes qu'il est possible de faire avec une femme au moment où elle a ses règles.

— Je comprends pas les gars qui veulent pas toucher à leurs blondes dans ce temps-là. Tu mets une serviette sur le lit et c'est tout ! Et puis les cunnis sont toujours possibles, il suffit de savoir comment s'y prendre. Le clitoris est pas caché au creux de la chatte, alors si on évite de se plonger entre les cuisses de la fille et de faire de grands huit mouillés avec la bouche et la langue, y a moyen de s'amuser sans tout cochonner. Des petits zéros tranquilles et réguliers autour du clitoris et, voilà, la fille s'accroche au matelas en hurlant de plaisir, et pas besoin de frotter les draps avec du détachant et de faire du lavage au beau milieu de la nuit.

C'était presque touchant, ce couple obsédé par sa propre vie sexuelle, mais j'espérais que nous changerions de sujet avant que Jean-Sébastien nous démontre par l'exemple ses techniques de cunnilingus. Nos enfants pouvaient remonter du sous-sol à tout moment et se mettre un traumatisme de jeunesse en banque. Et puis les bonnes gardiennes sont si rares, je ne tenais pas à ce que la nôtre s'enfuie après avoir assisté par mégarde à une scène explicite de nos convives en rut. Je me suis inventé une envie d'uriner pour aller me recueillir à la salle de bain à l'étage une petite minute. J'ai fermé la porte derrière moi et j'ai fait couler l'eau froide pour m'en asperger le visage afin de me rafraîchir les esprits et de lutter contre ce désir envahissant de mettre ces gens à la porte pour retrouver un peu de quiétude. Je n'ai même pas eu le temps de le faire, quelqu'un m'a dérangé en frappant à la porte. J'ai ouvert. J'avais cru que ce serait un des enfants avec un besoin pressant, mais non, c'était Marie-Soleil. Qui me fixait avec un drôle d'air. J'ai levé un sourcil en me demandant ce qu'elle pouvait bien vouloir.

— Ben là. Regarde-moi pas de même, Nico ! On dirait que tu te demandes ce que je fais là !

— C'est justement la question que j'allais te poser.

— Franchement ! J'ai vu ta face quand t'as dit que t'allais aux toilettes. Tu m'as regardée comme si tu voulais me baiser sur un coin de la table.

— Oh. Je crois pas qu'on voit ça de la même façon. C'était juste un sourire de politesse. J'avais vraiment envie de pisser.

— Me semble.

Elle s'est approchée et a glissé sa main sur mon pantalon pour me toucher l'entrejambe.

— Es-tu vraiment en train de me tâter la queue, là ?

— Mmm. Sors-la pis je vais me l'enfoncer jusqu'au fond de la gorge, tu vas voir ! C'est comme de la magie.

— Non, je ferai pas ça. Je pense que t'as peut-être bu trop de vin. Veux-tu te rafraîchir le visage ? C'est ce que je m'en allais faire.

— Fourre-moi donc.

Elle avait maintenant la main dans mon pantalon et me massait la queue pour que je bande. Je lui ai pris le poignet et j'ai retiré sa main. J'étais flatté de cette attention nouvelle qu'on m'accordait ; deux femmes qui voulaient baiser avec moi en si peu de jours était peu courant, ça aurait même pu être bon pour mon ego. Mais, en y réfléchissant bien, j'avais l'impression que ni le désir de Marie-Soleil ni celui de l'inconnue déglinguée ne m'étaient vraiment destinés. C'était un concours de circonstances. Moi ou un autre, c'était du pareil au même. Les deux femmes étaient excitées, et le hasard faisait que je passais par là. Je l'ai repoussée doucement jusqu'à ce que je puisse fermer la porte. Je me suis finalement rafraîchi le visage. Je me suis assuré que mon érection naissante n'était pas trop apparente et, après une grande inspiration, je suis descendu rejoindre les autres.

Martine servait le dessert pendant que Jean-Sébastien tournait autour de notre machine espresso en se demandant comment on pouvait boire le café d'une de ces saletés automatiques. Je crois même avoir entendu le mot « hérésie » au travers de ses marmonnements de paranoïaque.

Marie-Soleil était assise bien droite sur sa chaise et faisait comme s'il ne s'était rien passé. Et c'est exactement ce que je dirais qu'il s'était passé si on me le demandait : rien. On ne vit pas tant d'années avec la même personne sans devenir un spécialiste de l'ellipse, du petit mensonge blanc et de l'omission salvatrice. Je l'ai frôlée sans qu'elle tente d'arracher mes vêtements. Elle semblait s'être calmée. J'ai préparé du café pour tout le monde. Et même si Jean-Sébastien a bu le sien du bout des lèvres, il a fini par admettre que ce n'était pas dégueulasse comme il se l'imaginait. La gardienne et les enfants nous ont rejoints pour le dessert, alors la conversation est revenue sur d'habituels sujets inintéressants. De toute façon, nous nous faisions constamment couper la parole par Ariane et Zacharie qui voulaient une autre part de tarte ou une autre poignée de biscuits. Fanny-Maude et Louis-Samuel attendaient plutôt un moment de silence pour demander la permission de se servir un verre de lait ou d'aller à la salle de bain, si ça ne cause pas trop d'inconvénients, merci, monsieur, merci, madame.

Parce qu'ils se levaient très tôt le lendemain pour aller aux glissades d'eau, les invités sont partis de bonne heure, sans que j'aie à prendre des mesures incitatives telles que bâiller exagérément ou pousser tout le monde vers la sortie. Martine et moi avons étiré la soirée sur la terrasse, longtemps après que les enfants se sont couchés. Je ne suis rentré qu'après avoir capitulé contre les moustiques, qui avaient décidé d'un commun accord de s'acharner sur mon cou. Martine, que les insectes semblaient ignorer, terminait son verre de blanc en regardant les étoiles. J'ai erré dans la maison un moment, sans trop savoir quoi faire. J'ai bu deux grands verres d'eau, j'ai vidé le lave-vaisselle pour le remplir une seconde fois et je suis monté me coucher.

Je lisais au lit lorsque Martine m'a rejoint. Dès qu'elle est entrée dans la chambre, j'ai vu qu'elle était disposée à ce que nous fassions l'amour. Je connaissais très bien les signes. Ses déhanchements plus prononcés que d'habitude pendant qu'elle se déshabillait, en me tournant le dos, en me jetant parfois un regard pour s'assurer qu'elle m'avait déconcentré et que je ne lisais plus mon livre que d'un œil distrait. Son petit sourire coquin, avant qu'elle entre dans la salle de bain attenante à notre chambre pour faire son rituel précoït que je reconnaissais juste au son : se rafraîchir la chatte avec une débarbouillette mouillée et boire un verre d'eau pour éviter d'être déshydratée pendant l'activité physique. Autre signe qui ne trompait pas : elle est sortie de la salle de bain sans s'être appliqué sur le visage sa crème beige qui sèche en formant des croûtes.

Elle est venue s'étendre près de moi. J'ai posé mon livre et j'ai retiré mon t-shirt et mon pantalon de pyjama. Je l'ai embrassée sur la bouche et dans le cou, je suis descendu vers son bas-ventre en lui suçotant les seins au passage. Je lui ai léché la chatte pendant quelques minutes, et puis elle m'a sucé jusqu'à ce que je sois bandé et elle s'est assise sur moi. Après avoir fait tournoyer mon gland sur sa fente pour s'assurer qu'elle était bien mouillée, elle a glissé ma queue en elle. Elle s'est appuyée sur mes épaules en donnant des coups de bassin pendant que je lui caressais le clitoris avec un pouce. J'ai aventuré ma main libre entre ses fesses.

— Tu fais quoi, là ?

— Ben. Je te caresse.

— Qu'est-ce que tu fais avec ton doigt, plus précisément ?

— Je te caresse le cul. Je te stimule tout autour.

— Chouchou. T'étais pas en train de stimuler tout autour, là. T'as mis ton doigt dans mon anus. Tu sais que je déteste ça.

— Ouais. OK, j'avoue. Mais je me disais : « Tout d'un coup que ça fait tellement longtemps qu'elle se l'est pas fait faire qu'elle a changé d'idée ? »

— Tu pouvais demander au lieu d'essayer. J'aime pas ça. Eille, j'y pense, toi non plus t'aimais pas ça. Veux-tu que j'essaie ?

— Non, non, c'est correct !

— Tu vois ? C'est facile à savoir.

Elle a donné encore quelques petits coups de bassin, au cas où mon érection serait tentée de revenir, mais c'était inutile. Mon pénis est un organe capricieux qui s'accommode mal de discussions d'ordre technique pendant sa manipulation. Je n'avais pas envie d'avoir une discussion sur ce que nous faisions, sur ce que nous faisions à nos débuts et que nous ne faisions plus, sur ce que nous pourrions faire; j'avais envie d'une baise excitante, de sueur, d'improvisation, de nouveauté; j'avais envie d'être cochon, de la surprendre, de jouir dans son cul. Y penser a bien failli me faire rebander, mais Martine avait déjà retrouvé son côté du lit, ses oreillers, sa lampe de lecture, son livre, sa bulle. Je suis allé à la salle de bain pour me savonner le doigt. J'ai avalé ma pilule contre les allergies saisonnières avec quelques gorgées d'eau, j'ai éteint derrière moi et je me suis couché. J'entendais Martine tourner les pages de son livre à intervalles réguliers. Elle était détendue, ce n'était pas la première fois que ça arrivait, alors elle n'en faisait pas une histoire lorsque nos relations sexuelles finissaient en coït interrompu. Nous savions que se questionner à ce sujet n'aurait fait que nous mettre de la pression pour la prochaine fois. Il n'y avait pas de coupable, j'avais essayé un truc qu'elle n'aimait pas, ça m'avait déconcentré, et puis c'est tout. Rien d'inquiétant. J'étais tout de même légèrement irrité et, pour me détendre et m'aider à m'endormir, je me suis imaginé ce qui aurait pu se passer si j'avais laissé entrer Marie-Soleil lorsqu'elle était venue me rejoindre dans la salle de bain. La petite blonde m'embrassait en me caressant la queue, je mordillais ses jolies lèvres minces, et sa langue cherchait la mienne. Je descendais une main sur son ventre chaud jusque dans sa culotte, je la masturbais et la faisais jouir à deux doigts, bruyamment, et elle me déshabillait pour mieux me caresser. Ça se terminait alors qu'elle se mettait à genoux pour me sucer et que j'éjaculais sur sa langue. Marie-Soleil était un fantasme qui resterait inassouvi. Me laisser aller à quelques pensées sexuelles impliquant les amies de Martine était une solution facile et sécuritaire. L'adultère me semblait un risque inutile, une logistique complexe demandant beaucoup d'efforts et de mensonges pour un orgasme d'à peine quelques secondes. La quarantaine, c'est ce virage prudent qui fait qu'on s'offre quelques saletés en pensée en gardant les mains dans nos poches ; les lendemains sont beaucoup plus simples.

Et je me suis réveillé dans le chaos matinal habituel, mais avec un mal de tête de lendemain de veille. Je suis descendu en pyjama à la cuisine pour ajouter mes gémissements au brouhaha de ma famille. Les enfants étaient sur le point d'être en retard pour le camp de jour, leurs lunchs étaient à moitié préparés, et Zacharie cherchait partout son maillot de bain. J'étais dépassé par les événements, désorganisé, incapable de terminer une tâche avant d'en commencer une autre alors que le chaos me rendait généralement efficace. J'excelle sous la pression, mais, cette fois, je n'y arrivais pas. J'étais à la traîne, ou dans les jambes, peu habitué à recevoir des directives alors qu'en temps normal je trouvais facilement mon rôle dans tout ça. Très rapidement, pendant ces quelques jours où j'avais été absent, la famille avait appris à se débrouiller sans moi.

Ça atténuait la culpabilité qui accompagnait mon envie de repartir.

Une vérité s'imposait avec une parfaite évidence : je ne pourrais jamais me reposer si je restais à la maison. Il y avait trop d'action, de problèmes du quotidien à régler, petits mais constants. D'innombrables détails qui me paraissaient des montagnes. Même en ne travaillant pas, je n'arriverais jamais à me reposer. Et la campagne s'avérait un échec. Il y avait trop de vide, de silence, trop de temps pour réfléchir. Un terreau propice à l'angoisse. J'avais besoin d'une troisième option.

Martine est partie travailler en poussant les enfants jusqu'à la voiture pour accélérer le mouvement. Conrad a laissé échapper un sanglot, surpris de la rapidité avec laquelle le calme était revenu. Il a attendu un moment à la porte, espérant que l'agitation reprendrait, puis, en désespoir de cause, est allé faire un somme sur un fauteuil. Je me suis assis devant mon portable avec une grosse tasse de café et j'ai relu le courriel d'Alex.

4.
LONDRES

Les voyageurs s'égaillaient dans l'aéroport. Sur le tapis roulant, il ne restait plus qu'un *dildo* esseulé, une grosse queue noire et molle en caoutchouc avec une paire de couilles à l'avenant, luisante et mal lavée. Personne ne l'avait réclamée. L'objet entrait et sortait de l'endroit d'où étaient acheminés les bagages, inlassablement, sans que ma valise daigne se montrer. J'ai aperçu Alex dans la foule, de l'autre côté de la barrière des arrivées, qui m'attendait avec une poignée de ballons roses. Je l'ai salué en haussant les épaules et les sourcils, certain qu'il comprendrait mes mimes. Il n'a rien compris. Je me suis rapproché de lui en prenant soin de ne pas traverser la barrière, que deux gardes armés de mitraillettes m'empêcheraient sûrement de franchir dans l'autre sens.

— Content de te voir ! Qu'est-ce que tu niaises ?

— Ma valise arrive pas.

— C'est quoi, le machin dégueulasse sur le tapis? Une crotte?

— Un *dildo*.

— Oh.

Je l'ai devancé avant qu'il le demande.

— Non, c'est pas à moi.

Je suis retourné poireauter près du tapis pendant que des voyageurs débarqués d'autres avions ramassaient leurs bagages sur les tapis voisins. Ce n'est qu'après qu'ils ont tous été partis que je suis allé me mettre en file au bureau des réclamations. Il n'a fallu que quelques secondes au commis, devant son ordinateur, pour m'informer que ma valise venait de décoller vers l'Inde. Ahmedabad, m'a-t-il annoncé d'une voix cordiale et enjouée, comme si c'était une opportunité extraordinaire pour ma valise de voyager seule et d'explorer le monde. Il semblait même un peu envieux de la chance qu'elle avait. Il m'a fait signer une multitude de papiers et de fiches, a noté l'adresse où je résidais et m'a assuré qu'on me l'enverrait probablement dans les prochains jours. Lorsque je lui ai demandé s'il pouvait être plus précis, il m'a dit «*India is India*», puis, ne pouvant aller plus finement dans la précision, est passé à un autre voyageur au bagage égaré. Heureusement, j'avais mon passeport, mon portefeuille, et j'avais eu la bonne idée de garder mon ordinateur dans mon sac en bandoulière. J'ai rejoint Alex qui somnolait sur un banc, les ballons gonflés à l'hélium attachés au poignet, et j'ai agité ma pile de paperasses. Il a bâillé en se relevant.

— On commence par du shopping ? De toute façon, tu peux pas te promener habillé comme ça ici. T'es à Londres, pas dans un chalet pourri.

— Oh non. On commence par un café.

Il a acquiescé d'un hochement de tête. Il était sept heures vingt, heure locale, et je savais qu'Alex n'était pas du genre matinal. Alors que nous traversions l'aéroport, un rapide coup d'œil autour de moi a suffi pour lui donner raison : avec mon vieux jean et ma veste à capuchon bleue trouée, j'avais l'air d'un *roadie* invité par erreur dans un défilé de mode. Même les adolescents qui partaient ou revenaient de voyages étudiants en groupe arboraient des chandails de marques renommées et des jeans déstructurés qui devaient valoir deux cents dollars. Les hommes portaient des vestons ajustés et des cravates minces, les femmes étaient élégantes peu importe ce qu'elles portaient, et tout ce beau monde semblait sortir de chez le coiffeur. Mais bon. Je revendiquais le droit d'être habillé comme la chienne à Jacques : ma valise était en route vers l'Inde et je n'avais aucun vêtement de rechange dans mon sac. Et puis un grand café ou une vraie nuit de sommeil chasserait beaucoup mieux ma mauvaise humeur qu'une séance de magasinage, activité que j'ai toujours détestée et que je ne fais qu'en désespoir de cause.

Oui, bon. Peut-être que j'étais dans une situation qui entrait dans la catégorie « désespoir de cause ».

Alex a donné ses ballons roses à une jeune trisomique, si contente qu'elle l'a serré dans ses bras et ne voulait plus le lâcher. Il m'a fallu les arracher l'un à l'autre, sinon ce moment tendre n'aurait jamais pris fin.

Après un passage rapide dans une boutique de l'aéroport pour me procurer un déodorant et une brosse à dents, nous sommes montés dans la voiture d'Alex, garée au fond d'un stationnement glauque. Une Audi luxueuse dont j'ai palpé les garnitures en cuir après m'être échoué sur mon siège. J'ai tripoté quelques boutons, admiratif. J'oubliais parfois qu'il faisait beaucoup d'argent avec sa carrière d'auteur-compositeur. Il a vu que je m'intéressais à son véhicule.

— Regarde ça ! Quand j'appuie sur le bouton de ma clé magnétique, ça se souvient de mes options et ça replace le siège conducteur et les miroirs exactement comme je les aime. Tu peux programmer jusqu'à quatre clés différentes !

— Wow. C'est juste plate que tu sois tout seul.

Il m'a gentiment traité de con et a fait démarrer la voiture. J'ai descendu ma vitre dès que j'ai vu le ciel, il y avait longtemps que je n'avais pas respiré une bouffée d'air frais. Cette fraîcheur était toute relative, mais s'est améliorée dès qu'Alex a réussi à nous extirper du trafic de l'aéroport d'Heathrow. Une trentaine de minutes plus tard, je me réchauffais les mains sur un double cappuccino au Caffe 43. Nous parlions peu, pas plus réveillé l'un que l'autre, perdus dans nos pensées. Nous jetions à l'occasion un regard vers une table voisine ; la seule autre personne dans le café à part le serveur taciturne était une femme blonde avec un toupet et des lunettes qui travaillait sans nous prêter attention.

— Si tu te demandais si les femmes étaient jolies à Londres, voilà ta réponse.

J'ai approuvé. Le téléphone d'Alex a émis une courte sonnerie. Il a lu son texto en haussant un sourcil.

— C'est Daniel.

— Il est arrivé en ville ?

— Pas encore, il visite quelques villes avant de venir ici. Je pense qu'il est sur l'île de Wight, là.

— Qu'est-ce qu'il dit ?

— « Ève me trompe. »

— Oh *shit*.

— Ouaip.

Un autre texto est arrivé aussitôt.

— Encore Daniel ?

— Oui.

— Du nouveau ?

— « Crisse d'ostie de tabarnak de câlisse. »

— Mmm. Ça regarde pas bien.

— Au moins, on sera là pour le ramasser s'il est en morceaux.

Nous avions tous les deux du mal à y croire et attendions les détails avec impatience. Plus de nouvelles. Alex a posé son téléphone et m'a dit que, si ça me tentait et que j'étais pas trop fatigué, Sandrine était en ville avec une amie et que nous pourrions souper tous les quatre. S'amuser un peu avant d'accueillir notre ami démoli me semblait une bonne idée.

— Ça me va ! Mais faut que je fasse un somme pour pouvoir tenir jusqu'au souper.

— J'habite juste à côté. On y va dès que tu finis ton café !

— Tu couches toujours avec ?

— Eh oui.

— Tu l'aimes encore ?

Il a haussé les épaules en souriant et a bu une gorgée de café en espérant que j'aborderais un autre sujet. J'ai pouffé de rire. De toute évidence, il l'aimait encore. Ça ne changeait pas. Il l'aimait depuis le jour où il l'avait rencontrée et, même si leur histoire n'avait duré que deux ans et qu'elle était terminée depuis longtemps, il n'avait jamais ressenti pour une autre l'amour qu'il avait éprouvé pour elle. Un amour qui continuait de le ronger. Il imaginait souvent ce que serait sa vie avec Sandrine s'il n'avait pas tout gâché à force de petits mensonges et d'erreurs de jugement. Mais quelque chose les unissait malgré tout. Même si elle faisait sa vie avec un autre musicien qui la rendait heureuse, elle ne pouvait s'empêcher de coucher avec Alex les fois où leur travail les menait dans la même ville au même moment.

Deux autres textos. J'ai interrogé Alex du regard.

— Il dit qu'ils ont loué une deuxième chambre dans le même hôtel, qu'Ève veut se reposer un peu avant de retourner à Paris avec Madeleine. C'est qui, Madeleine ?

— C'est leur fille, Alex.

— Ah, ben oui. Il dit aussi que c'est petit en crisse, l'île de Wight, quand t'essaies de prendre l'air sans croiser ton ex.

J'ai terminé mon café, Alex a envoyé quelques messages encourageants – « Lâche-pas ! On est là pour toi ! On a hâte de te voir ! » – et nous sommes allés chez lui.

ooo

Après une série de manipulations nébuleuses par-ci par-là, le chic canapé de cuir blanc du salon s'est transformé en un lit qui m'a semblé être le plus confortable au monde. Je m'y suis affalé avant même qu'Alex y étende les draps. Il a bien compris que je visiterais son appartement plus tard.

— Tu peux ranger tes affaires ici. Ah, c'est vrai, t'en as pas.

Il a ri tout seul de sa blague, je crois que je dormais déjà.

Je ne me suis réveillé qu'en début de soirée, et seulement parce qu'Alex me secouait l'épaule pour me demander si je préférais l'accompagner au souper ou continuer à dormir. Après un bref moment de confusion – *Où suis-je ? Quelle heure est-il ? Qu'est-ce qu'il me veut, lui ?* –, j'ai grommelé mon envie de sortir. Il m'a mis une grande serviette blanche dans les mains et m'a poussé vers la douche. Lorsque j'en suis sorti, il avait étalé une chemise et un pantalon chics sur un fauteuil. Nous n'avions pas le temps d'aller faire les boutiques.

— C'est tout ce que j'ai de trop grand pour moi. En espérant que tu te sentes pas trop serré.

J'étais plus grand que lui, mais aussi plus enrobé. La chemise ne me faisait pas du tout. Il a fini par me trouver un chandail vert lime au fond d'un tiroir, assez extensible pour convenir à mon tour de taille. Je l'ai enfilé, puis Alex m'a jaugé d'un air à peu près satisfait.

— Tu pourrais perdre un peu de poids, quand même. Mais pour tout de suite, ça va aller. Même si c'est pas ta couleur.

— Bien franchement, je vois pas ça pourrait être la couleur à qui.

J'ai pris le temps de visiter son appartement pendant qu'il se préparait. Il y avait trois pièces fermées: la chambre, la salle de bain et un petit studio insonorisé. Dans la grande aire ouverte comprenant la cuisine, la salle à manger et le salon, une immense toile monochrome de Yuji Karasu constituait l'attraction principale. Pas très haute, mais faisant six pieds de largeur, elle était d'un rouge sombre, presque noir, et s'appelait *Three ghosts*. Il fallait s'accroupir pour discerner, rien qu'avec l'épaisseur de la peinture, et seulement si la lumière était favorable, une silhouette de femme dans le coin droit et une de fillette dans le coin gauche. Le centre était vide. Le troisième fantôme était introuvable. Dans la grande bibliothèque trônaient quatre Victoires de la Musique qu'Alex avait remportées grâce aux chansons qu'il avait écrites pour divers interprètes, dont Sandrine. Le mobilier laissait entendre que sa carrière allait bien; je ne voyais rien qui provenait de chez Ikea, c'était du contemporain chic ou du *vintage* des années soixante dans un état impeccable. Et le Yuji Karasu valait probablement autour de cinquante mille dollars. Le genre de loft que je rêvais parfois d'habiter, dans mes fantasmes d'homme célibataire sans enfants. Une vie qui ne m'était plus accessible depuis des années.

Dans le taxi qui nous menait au restaurant, j'ai ouvert ma fenêtre et je me suis imprégné de l'ambiance londonienne. Le temps maussade était un cliché qui n'indisposait que les touristes ; la chaleur, même avec le ciel couvert et cet air humide et lourd d'avant la pluie, mettait un sourire sur le visage des gens.

Au restaurant, le maître d'hôtel nous a guidés vers notre table. Les femmes n'étaient pas encore arrivées. Nous avons patienté avec des gin tonics et nous n'avons pas eu à attendre bien longtemps, le temps de prendre quelques gorgées, et elles ont traversé la salle pour venir nous rejoindre, dans une lenteur nonchalante et souveraine. L'air autour d'elles était chargé d'électricité. Les clients, plutôt âgés, semblaient peu habitués à voir dans ce restaurant de jolies femmes vêtues de robes aussi sexy, courte pour Sandrine, moulante pour son amie. La vie autour a doucement repris son cours lorsqu'elles sont arrivées à la table. J'étais bien content de revoir Sandrine, que je n'avais pas vue depuis mille ans. Elle m'a serré dans ses bras en me donnant deux grosses bises sur les joues, puis m'a présenté son amie Lou, une grande mince aux cheveux blonds coupés très court. Elle aurait pu être intimidante si elle n'avait pas possédé un regard franc et humain qui dédramatisait sa beauté.

Les gin tonics étaient délicieux, les femmes ont commandé la même chose. J'aurais sans doute pu choisir de ne rien boire, mais on m'aurait pressé de questions et je ne tenais pas à parler de mon foie et des conseils de mon docteur, deux sujets qui ne m'enchantaient pas beaucoup, d'autant plus que je me sentais de plus en plus coupable de ne pas respecter mon jeûne d'alcool. J'ai levé mon verre tandis qu'Alex portait un toast à la beauté des deux femmes.

Si Sandrine espérait troubler Alex avec son sex-appeal, c'était réussi. Alors que la conversation avait pour but de se présenter à Lou et de savoir ce qu'elle faisait dans la vie, Alex restait concentré sur le visage de Sandrine, il observait ses lèvres qui bougeaient, en humectant les siennes.

Pour ma part, c'est à Lou que j'accordais mon attention. Je venais de la reconnaître. Son nom peu commun avait éveillé un lointain souvenir, mais c'est sa voix, une voix rauque, forte, pleine d'assurance, qui avait fini de me convaincre : j'avais devant moi la livreuse de courrier à vélo avec qui j'avais couché il y avait plus de dix ans. Elle avait changé. Le mutisme intimidant qui était son trait de caractère le plus distinct s'était transformé en une écoute sincère et intéressée. Et le vécu qui accentuait ses traits ne faisait qu'accroître sa puissance érotique. Elle était magnifique.

Et elle ne semblait pas m'avoir reconnu.

La coïncidence était renversante : les deux femmes racontaient qu'elles avaient été voisines à l'époque où elles vivaient à Montréal, avant que Sandrine se fasse connaître comme chanteuse. Elle m'avait déjà parlé d'une de ses amies qui était courrier à vélo, mais je n'aurais jamais pensé que ça puisse être la même qui passait plusieurs fois par semaine à la boutique de meubles.

J'ai questionné Lou, mais elle ne se souvenait plus de rien. Je lui ai mentionné qu'elle entrait avec son vélo dans l'arrière-boutique par la grande porte de garage ouverte et qu'elle déposait le courrier sur le bureau, au fond de la pièce. Elle a haussé les épaules, ne s'est pas obstinée avec moi, mais ne se rappelait rien de tout ça. Elle nous avait oubliés, mes trois sœurs et moi. Je l'avais léchée alors qu'elle sortait de la douche, nue et mouillée. J'avais mordillé son mamelon percé. Sa fente sentait la cannelle. Je me souvenais de tout. Elle a changé de sujet en me questionnant sur mon chandail vert lime.

— T'es daltonien ou bien excentrique ?

J'ai raconté les aventures de ma valise perdue en cherchant une étincelle dans son regard, un truc subtil, une miette, une poussière, ne serait-ce qu'un petit battement de cils, quelque chose qui voudrait dire « oui, je me rappelle, mais ça fait longtemps, et puis on ne va tout de même pas parler de ce délicieux moment ici, à table, au restaurant avec des amis… »

Rien.

J'étais sur le point d'insister encore un peu en lui donnant quelques détails précis pour qu'elle retrouve la mémoire lorsque Sandrine m'a posé une question qui m'a plongé dans une étrange perplexité.

— Qu'est-ce qui t'amène à Londres ?

Je n'avais pas tellement envie d'expliquer à d'autres qu'à mes quelques amis proches que je tentais d'éviter un *burnout* ou une dépression. La dépression est un sujet déprimant, et rien que la perspective de devoir raconter ce qui m'avait mené au bord du gouffre aurait pu suffire à me pousser dedans. Et puis je n'avais pas envie qu'on s'apitoie sur mon sort ou qu'on me traite comme un invalide. Évoquer de simples vacances était la solution facile, mais on me demanderait assurément pourquoi j'avais laissé femme et enfants derrière.

Mes dix secondes de réflexion ont dû paraître longues.

Je me suis ressaisi et j'ai invoqué le travail. J'étais ici pour affaires. Une visite au Musée du design, la rencontre de quelques fournisseurs potentiels pour du mobilier difficile à trouver au Québec, je m'en suis sorti avec ces raisons juste assez inintéressantes pour m'épargner une rafale de questions.

Ces précisions sur mon travail n'ont pas semblé raviver la mémoire de Lou, alors j'ai cessé d'insister. Et puis, ce n'est pas comme si j'avais eu l'intention de coucher avec elle de nouveau, non?

Non?

○○○

Je suis rentré à l'appartement seul et soûl, avec un mal de tête latent que j'ai tenté d'éloigner avec deux grands verres d'eau. Alex avait raccompagné les femmes à leur hôtel, m'évitant ainsi d'avoir à m'endormir au son de ses ébats sexuels avec Sandrine. En m'installant dans mon lit, je me suis demandé si Sandrine et Lou partageaient la même chambre. Je n'aurais pas été surpris qu'Alex couche avec les deux en même temps.

J'ai émergé du sommeil vers dix heures, le soleil dans les yeux, plus frais et dispos que je me l'étais imaginé. Ça sentait le café. J'ai enfilé un pantalon de pyjama qu'Alex m'avait laissé sur une chaise. Il était assis le dos bien droit, sur un tabouret devant le comptoir de la cuisine, une grande tasse à la main, le regard perdu dans ses rêveries. Je l'ai salué d'un hochement de tête et ce n'est que lorsque j'ai eu fini de me préparer un bol de café au lait et que je me suis installé à côté de lui qu'il a ouvert la bouche.

— Il faut que je rompe.

J'avais bien vu que quelque chose le tracassait, mais je n'aurais pas cru que les racines étaient si profondes.

— C'est ton amante. Techniquement, tu peux pas rompre.

— Tu comprends ce que je veux dire. Ça fait deux ans qu'on couche ensemble chaque fois qu'elle est en ville ou que je vais à Paris. Il faut que j'arrête ça. C'est complètement malsain. Je trouverai jamais personne d'autre si je continue de la fréquenter.

— Tu couches avec plein d'autres femmes, pourtant.

— Oui, mais je suis jamais ouvert pour autre chose que du cul ou, au mieux, un genre d'amitié sexuelle bizarre. J'ai eu quelques fréquentations stables, sans attaches, mais ces femmes-là disparaissent définitivement le jour où elles se font un chum. Je suis jamais le chum. Je suis le *rebound*. La pause légère entre deux relations sérieuses. Une dernière petite folie avant de rencontrer un homme propre, mature, bien élevé, et de fonder une famille. Tant que je vais garder Sandrine dans ma vie, je pourrai pas tomber amoureux d'une autre.

Même si le sujet me semblait lourd pour un lendemain de veille, j'étais content qu'Alex me confie ses angoisses. Parler d'autre chose que de moi me faisait du bien.

— T'as envie d'être en couple, casé, fidèle et tout?

— J'ai envie de pouvoir appeler ma blonde quand ça me tente. Avec Sandrine, je suis complètement passif, obligé d'attendre qu'elle me téléphone, en cachette de son chum.

— J'en conclus que t'as pas de chances de revenir avec elle?

— Aucune. Je l'ai toujours su. Quand elle m'a laissé, c'était clair qu'elle reviendrait jamais avec moi. Elle est heureuse. Elle a un enfant. Elle a une vraie vie de famille et j'en ferai jamais partie. Je me sens coincé dans les limbes à cause de mes sentiments pour elle.

— Tu prévois lui dire ça quand?

— Je la revois ce soir. C'est là que ça se termine.

J'ai hoché la tête en le félicitant pour la sagesse de sa décision. Moi à la limite du *burnout*, Daniel cocu, Alex en peine d'amour; les prochains jours s'annonçaient radieux.

Puisque nous semblions avoir fait le tour du sujet pour l'instant, je me suis permis de poser la question qui me brûlait les lèvres.

— Lou, elle dormait dans la même chambre que Sandrine ?

Il a souri, comme s'il se remémorait les meilleurs moments de la veille. Le salaud.

— Ouaip. Une chambre, deux lits.

— Détails, s'il vous plaît.

— Bon, elle nous a regardés un peu, au début, en se caressant. Elle a fini par venir nous rejoindre. Deux filles qui te sucent en entremêlant leurs langues, ça conclut bien une soirée.

— Wow.

— Ben non. Je te niaise ! Ma vie est pas tout le temps un film de cul, contrairement à ce que tu penses. Elles partagent une suite, elles ont chacune leur chambre. En passant, je voulais pas te dire son nom avant qu'elle arrive au resto, je voulais voir ta réaction, mais, là, je comprends pas trop. Ça se peut que je la mélange avec une autre : c'est pas avec elle que t'as couché quand Martine t'a annoncé que t'allais être père ?

J'ai hoché la tête et je me suis senti rougir.

— T'as une bonne mémoire, mon salaud ! Plus qu'elle, ça, c'est sûr. On dirait qu'elle s'en souvient plus du tout.

— Ouais. Elle a une vie sexuelle plutôt active, je pense. D'ailleurs, je vais peut-être me mettre sur le dossier…

— Obsédé.

Nous avons porté un toast à la vie sexuelle active. Et puis j'ai passé quelques minutes au téléphone avec ma compagnie aérienne, perdu dans un dédale de choix de réponses, de transfert d'appel d'un service à un autre et de codes à quinze chiffres à inscrire pour savoir si ma valise était de retour. Toujours pas, non, mais à l'autre bout de la ligne on était optimiste. Sans pouvoir me dire avec précision où elle était, on se faisait rassurant, sûrement quelques jours encore et tout serait rentré dans l'ordre. Pour me dédommager, on m'offrait un rabais sur je ne sais trop quoi sous certaines conditions particulièrement complexes. J'ai raccroché.

J'ai terminé mon café, nous avons déjeuné en vitesse et j'ai remis les vêtements dans lesquels j'étais arrivé à Londres, frais lavés et soigneusement pliés par Alex. J'étais prêt à aller magasiner. Sur le palier, nous avons croisé deux jolies blondes qui sortaient de l'appartement d'à côté. Alex m'a présenté à ses voisines, Kate, la petite aux cheveux courts, et Mallory, la grande aux cheveux longs. Nous avons discuté un moment, les deux essayaient de me parler en français et c'était plus mignon que compréhensible, je leur répondais en anglais en tentant de me fabriquer un accent d'Angleterre, mais c'était complètement raté. Nous sommes partis après avoir reçu des bises enthousiastes. Même si elles ne risquaient pas de nous entendre, Alex a chuchoté :

— Tu sais, la fenêtre dans le salon, celle qui donne sur l'arrière-cour ?

— Oui ?

— Ben, de mon côté c'est le salon, mais de leur côté c'est leur chambre.

— Juste une chambre ? Elles sortent ensemble ?

— Oui, monsieur. J'ai déjà vu des affaires…

— Non !

— Je te jure.

— Va chier. C'est jamais à moi que ça arrive !

— Sois pas jaloux, tu vas peut-être en profiter.

— Je me sens pas bien, je pense que je vais rentrer. Elles se couchent tôt ?

Il m'a tiré par le bras jusqu'à sa voiture.

Voyant mes yeux exorbités devant les prix dans la première boutique où il m'a emmené, Alex a vite rectifié le tir et m'a guidé vers des endroits relativement abordables. Jeans, pantalons, chemises, blazer, chaussettes et boxers ; avec tout ça, je me sentais presque un nouvel homme. J'étais surtout beaucoup mieux adapté à mon environnement. J'avais pris l'habitude de consacrer de moins en moins de temps à chercher des vêtements, je pouvais regarnir ma garde-robe pour la saison à l'épicerie près de chez moi, dans le petit rayon pour hommes, entre le rayon de la pharmacie et celui des articles de maison, et je balançais ces quelques jeans ou chemises dans mon panier avec les poitrines de poulet, les boîtes de céréales et tout le reste. Côté vestimentaire, j'étais un paresseux pressé même si, ce jour-là, je prenais plutôt plaisir à essayer des polos et des pantalons bien coupés qui contrastaient nettement avec les machins en coton décoloré entassés dans ma valise perdue.

Nous sommes retournés à l'appartement déposer mes achats. Alex avait des rendez-vous. Après m'avoir filé un double des clés, il m'a laissé près du Musée du design, que j'avais hâte de visiter.

J'ai passé la fin de l'après-midi dans les salles où étaient exposées des chaises modernes, depuis les plus classiques comme les Eames ou Le Corbusier jusqu'à des constructions folles en plastique moulé, en liège ou en cristal. J'étais entouré de jeunes étudiants blasés qui se ressemblaient tous, barbes, vieux jeans; la plupart étaient accompagnés de filles asiatiques qui tentaient en vain de s'enlaidir avec de grosses lunettes en plastique et des vêtements volés à des vagabonds des années soixante-dix. J'avais l'impression de croiser toujours le même couple, chacun croyant sans doute être plus anticonformiste que les autres.

Après avoir acheté quelques livres à la boutique du musée, je me suis installé à la terrasse d'un bar qui donnait sur la Tamise et j'ai pris des notes sur un calepin. L'exposition m'avait inspiré; j'avais quelques idées fraîches pour la compagnie, et je m'étais rendu compte qu'il nous manquait quelques articles indispensables que nous pourrions louer avec succès pour les tournages de films et de séries télé. Après m'avoir appelé pour savoir où j'étais et ce que je faisais, Alex est venu me rejoindre et s'est assis en contemplant les fesses d'une jolie joggeuse en short moulant. Je l'ai regardé d'un air faussement réprobateur.

— Ben quoi?

— Tu changes pas, toi, hein?

— Pourquoi je changerais? Je me trouve pas mal comme je suis. Fasciné par les jolies femmes. Tu l'es aussi, avoue. Celle aux cheveux bruns avec le petit toupet, là, quand tu la regardes, tu t'imagines quoi?

— Je m'imagine qu'elle se demande pourquoi on la fixe avec autant d'insistance.

— Nico ! Tu t'évades jamais, dans ta tête ? T'as le droit, t'sais. T'es fidèle, et je trouve ça admirable. Mais, en pensée, tu peux t'amuser, hein. Je m'imagine très bien faire glisser le haut de sa robe sans bretelles pour découvrir ses beaux gros seins, les caresser et les prendre chacun leur tour dans ma bouche pour les lécher bien comme il faut, jusqu'à que ses mamelons soient durs et qu'elle m'implore de la pénétrer là, tout de suite, sur un coin de table.

— OK, regarde ailleurs, elle sait qu'on parle d'elle.

— Oh. C'est la chance que j'ai par rapport à toi : ça pourrait m'arriver.

— Ici. Sur un coin de table.

— Bon, peut-être pas ici, mais chez moi, disons. On n'est pas des bêtes, franchement.

— Toi oui, un peu.

— J'ai des désirs, c'est tout. Ça t'arrive pas, toi, de désirer quelqu'un ?

— Ben oui. Mais je résiste.

— Nico. Moi aussi, je résiste, je te parle pas de ça ! Je veux juste savoir si t'es normal et si tu désires des inconnues, des fois. Je m'inquiète pour ta santé mentale.

— Ben oui, ça m'arrive. C'est sûr. Mais la femme assise près de la porte du resto est plus mon genre.

— Ah ! Bon ! Et tu lui ferais quoi ?

— Je sais pas. Sa bouche est assez sexe.

— Les hormones de Nicolas qui se réveillent ! Tu préférerais te faire sucer doucement ou baiser sa bouche à fond ?

— Alex…

— OK, OK, j'arrête.

Alex a toujours aimé les possibilités. Il en parle souvent, je peux citer de mémoire la dernière discussion que nous avons eue sur le sujet : « J'aime les surprises qu'engendre la liberté. Savoir que la vie va peut-être m'étonner dans quelques minutes, qu'en entrant à l'épicerie je vais rencontrer une petite châtaine ou une grande rousse, disponible et souriante, drôle et pétillante, et qu'on va finir nus dans les bras l'un de l'autre dans les prochaines heures, dévorés par le désir. Je sais pas comment tu fais pour pas virer dingue en sachant que rien ne sera possible quand tu croises un regard séducteur à l'épicerie. » Je n'ai pas le sex-appeal d'Alex et je ne me souviens pas d'avoir croisé ce genre de regard à l'épicerie. Il faut dire que je suis habituellement occupé à rayer les articles de ma liste tout en essayant de retrouver mes enfants qui, tels d'habiles ninjas, remplissent le panier de cochonneries sucrées à mon insu et se cachent derrière les étalages jusqu'à ce que je perde patience.

— J'ai hâte de voir ce que tu vas faire quand tu vas avoir réglé tes affaires avec Sandrine. Tu vas être capable de choisir une femme, une seule, et de vivre avec elle une vie de couple saine et normale ?

— Je suis certain que je suis capable. Je vais continuer de fantasmer, mais sans toucher, comme tout le monde ! Parlant d'homme en couple, j'ai des nouvelles de Daniel. Il devrait arriver demain. Tout seul. Si ça te dérange pas, il débarquerait chez moi.

— Ça me fait plaisir !

— Oui, mais je sais que tu voulais te reposer. Il serait allé à l'hôtel s'il était encore avec Ève, mais, tout seul, il trouve ça trop déprimant.

— Pour l'instant, je suis incapable de me reposer de toute façon.

— Comment tu te portes ? T'as quand même l'air moins magané que ce que je pensais quand j'ai su que tu prenais deux mois de congé.

Je lui ai raconté mes dernières semaines en détail, ma difficulté à me lever le matin, les recommandations du médecin, le fiasco du chalet. Je lui ai même parlé de mon départ précipité, la fatigue me poussant à imaginer un fantôme qui flotte sur un lac ou un rideau qui s'ouvre tout seul dans un chalet abandonné. Ce spectre qui s'appelait Catherine, selon ce que j'avais « ressenti » à ce moment-là, avec mon don de voyance plus qu'approximatif : j'avais cherché sur Google et la femme qui était morte dans le chalet voisin du mien ne s'appelait pas Catherine, mais Cindy. L'imagination et la fatigue forment un mélange plutôt malsain.

Alex a eu la délicatesse de ne pas trop rire de cette peur irrationnelle qui m'avait poussé à fuir le chalet. Il ne croit pas plus aux fantômes que moi, mais il a avoué qu'il ne s'était jamais retrouvé dans une situation où l'irrationnel semblait être la seule explication à ce qu'il avait sous les yeux.

J'étais aussi plutôt content de son attitude envers moi ; même s'il ne tentait pas de minimiser l'importance de mon congé préventif, il n'en faisait pas un drame non plus. Il ne me traitait pas comme un convalescent, encore moins comme un invalide. Je savais tout de même que si j'avais envie de parler de choses sérieuses, il était là.

Un ami.

Il a bu quelques gin tonics pour se donner du courage – je n'ai pas eu d'autre choix que de l'accompagner, par solidarité –, et puis il est parti à son rendez-vous avec Sandrine, un sourire crispé au visage. Avec tout le poids de son amour pour elle sur les épaules.

Je me suis ramassé quelques trucs à manger chez Marks & Spencer avant de rentrer à l'appartement. J'ai pris mon repas avec Martine, devant ma webcam. Je soupais, elle dînait. À Blainville, la routine suivait son cours ; Ariane avait ruiné la housse du nouveau sofa en y laissant traîner des crayons-feutres ouverts, Zacharie avait perdu ses patins à roues alignées, Conrad le pug pissait partout en toute candeur, les voisins étaient bruyants et mes sœurs chialaient pour la forme même si elles s'occupaient très bien de la boutique sans moi. Martine avait l'air de bonne humeur et j'étais soulagé de voir que prendre soin des enfants sans mon aide ne lui semblait pas une trop lourde tâche. Je ne pouvais m'empêcher de me sentir coupable de voyager seul alors qu'elle était confinée à la maison. Elle m'a rassuré sur ce point, disant qu'elle faisait parfois garder Ariane et Zacharie par sa mère, ils allaient même passer tout le prochain week-end avec elle. Il avait fallu cet arrêt de travail forcé pour comprendre qu'il était sain de prendre du temps pour nous, en couple, oui, mais aussi chacun de son côté.

Elle et les enfants s'ennuyaient de moi, mais faisaient l'effort de ne pas trop le montrer. Pour eux comme pour moi, ça n'avait rien d'insupportable, ça ne nous empêchait pas de fonctionner. Réussir à me détendre sans culpabilité m'a semblé possible. Je m'en suis donné le droit.

Martine m'a envoyé quelques baisers avant que nous nous quittions. Même si, après toutes ces années en couple, le jeu érotique s'était raréfié entre nous, elle a tout de même consenti, en riant, à me montrer ses seins avant de raccrocher. Je lui ai promis de me toucher en pensant à elle.

Je ne me suis pas touché et j'ai pensé à Lou.

Qu'aurais-je fait si elle s'était souvenue que nous avions baisé ensemble il y a douze ans et qu'elle avait eu envie de recommencer ? J'avais tenté de le lui rappeler à quelques reprises pendant le souper et j'avais joué au séducteur jusqu'à ce que je comprenne que je ne l'attirais pas. Peut-être que savoir que je lui plaisais m'aurait suffi, qu'elle se souvienne de moi ou pas. Peut-être, alcool aidant, que je me serais retrouvé à lui lécher les seins pendant qu'elle me chevauchait. Il est facile de se faire croire qu'on aurait résisté lorsque l'autre nous ignore au bout de la table. C'est autre chose lorsqu'on se retrouve avec sa langue dans le cou, dans les toilettes d'un restaurant, enivré par l'alcool et les effluves d'une chevelure et la chaleur de la peau et une cuisse qui se frotte sur notre entrejambe et des mains qui s'agrippent à nos fesses et.

Mais ce n'était pas arrivé.

○○○

Nicolas.

J'avais besoin de t'écrire cette lettre, mais je ne sais pas par où commencer. C'est bizarre, la vie de couple. On se fait croire qu'on dialogue parce qu'on parle à l'autre de tout et de rien à longueur de journée, mais on ne se parle pas vraiment, au fond. On évite certains sujets, l'air de rien, parce qu'on n'aime pas beaucoup l'affrontement. Ni toi ni moi. On se ressemble énormément là-dessus. On a développé une manière de ne pas se parler, de communiquer sans jamais parler des choses vraiment importantes. D'ailleurs, je pense bien que c'est parce que tu es loin en ce moment que je trouve enfin le courage de t'écrire. Ouais. Le courage. Façon de parler... Regarde comment je tourne autour du pot ! J'ai un paragraphe d'écrit et en le lisant tu n'auras toujours pas le moindre indice de ce que j'essaie de te dire. Je m'embrouille dans mes idées et moi-même je perds le fil. C'est à se demander comment je vais en venir à bout ! ~~*Bon. Ce que j'essaie de. Ce que je veux dire, c'est que*~~

○○○

Je me suis réveillé en croyant avoir dormi longtemps pour me rendre compte qu'il n'était que deux heures quinze. L'appartement était plongé dans le noir, mais un peu de lumière entrait par la fenêtre donnant sur la cour intérieure – juste assez pour me rendre à la salle de bain sans me cogner les orteils sur un coin de meuble. J'ai écornifflé dans la chambre : Alex n'était pas encore rentré. Je suis retourné dans le salon en passant près de la fenêtre pour voir d'où provenait la lumière. Ça venait de chez Kate et Mallory. L'éclairage tamisé dans leur chambre me permettait de bien voir à l'intérieur. Ça m'a surpris. J'avais sans doute manqué quelques préliminaires, mais je n'arrivais pas trop tard. Quand Alex me disait qu'il voyait parfois « des affaires », je m'étais imaginé les deux femmes passer devant la fenêtre alors qu'elles étaient plus ou moins habillées, mais la scène qui s'offrait à mes yeux était beaucoup plus explicite : elles étaient debout devant le lit et s'embrassaient goulûment. Mallory, la blonde aux cheveux longs, avait une main dans la culotte de Kate, la blonde aux cheveux courts, et l'agitait d'un léger mouvement circulaire. Elles étaient toutes deux vêtues de lingerie qui valait sûrement quelques centaines de dollars. Il y avait longtemps que je n'avais pas vu de sous-vêtements aussi sophistiqués et, même si les culottes décolorées garnies d'élastiques distendus de Martine pouvaient avoir un certain charme, j'étais ébloui par le spectacle. Mallory s'est agenouillée devant sa copine et lui a embrassé et mordillé le pubis au travers de sa culotte. Elle a glissé sa main entre les cuisses de Kate pour lui caresser les fesses, Kate s'est penchée pour lui retirer son soutien-gorge et lui masser les seins. Je bandais. Kate s'est accrochée à deux mains aux cheveux de Mallory et l'a tirée vers l'avant pour mieux sentir cette bouche sur son sexe.

Ça m'a rappelé les récits détaillés de Daniel, à l'époque où il habitait Montréal et qu'une jeune Asiatique vivait de l'autre côté de sa rue. De son appartement, grâce à la partie supérieure des grandes fenêtres de son loft qu'elle avait laissée sans rideaux, il bénéficiait d'une vue formidable sur tout ce qu'elle faisait. Et, ce qu'elle faisait souvent, c'était danser nue devant son miroir, se masturber dans son bain ou se faire prendre en levrette sur son lit en hurlant comme une démone.

J'appréciais d'autant plus le moment sachant que ce genre de chose ne m'arrivait jamais. Mes voisins proches sont soit physiquement disgracieux, soit agréables à l'œil mais criards et constamment submergés d'enfants. Pas d'ébats en plein air sur les chaises de jardin, pas d'orgies dans les jacuzzi, pas de vue plongeante dans les chambres à coucher.

Les choses allaient bon train dans l'appartement d'à côté. Kate n'avait plus de soutien-gorge ni de culotte. À quatre pattes sur le lit, vêtue seulement de ses bas de nylon et de son porte-jarretelles, elle se faisait lécher la fente par-derrière. J'en avais les jambes en coton tellement ça semblait délicieux. Caché par l'épais rideau à moitié ouvert, je me suis débarrassé de mon t-shirt et de mon pyjama pour me masturber à mon aise. On ne se croit pas voyeur et, hop, un événement imprévu nous transforme à jamais. Mallory s'est étendue sur le dos et a attiré les fesses de Kate vers elle pour y enfouir son visage. Kate a courbé l'échine vers l'arrière, assise sur le visage de Mallory, ses seins fermes pointés vers moi. Elle a ouvert les yeux un instant pour regarder dans ma direction, comme si elle avait senti ma présence. Elle a vu ma tête d'ahuri qui dépassait de derrière le rideau, a souri et m'a soufflé un baiser, a dit quelque chose à sa copine qui s'est contentée de lever son pouce pour signifier son approbation, toujours occupée entre les jambes de Kate. J'ai quitté ma cachette pour me poster devant la fenêtre, nu et bandé, un peu inquiet de sa réaction possible quand elle verrait que je n'étais pas Alex. La lumière qui provenait de sa chambre était suffisante pour qu'elle me reconnaisse. Elle a ri de sa méprise, mais tout allait bien : elle a approuvé de la tête le fait que j'étais nu et bandé et, d'un geste sans équivoque, m'a invité à reprendre devant elle ce qu'elle se doutait probablement que je faisais derrière le rideau. J'ai mouillé mes doigts et je me suis caressé la queue. On ne se croit pas exhibitionniste et, hop, un événement imprévu nous transforme à jamais. Kate s'est pincé les mamelons et m'a regardé me masturber avec un enthousiasme communicatif. En même temps, j'observais leurs techniques, je restais attentif pour voir s'il n'y aurait pas un truc ou deux à rapporter à la maison. Rien de mieux qu'une femme pour savoir ce qu'aime une femme. Je ne voyais pas tout, je perdais sans doute certains petits détails importants, mais bon ; doigts, langue, beaucoup de salive, une cadence régulière, de l'entrain, il n'y avait rien là que je ne connaissais pas déjà.

J'ai joui en même temps que Kate, dans ma main libre et un peu autour. Elle m'a lancé un regard ravi avant de plonger la tête entre les jambes de Mallory. J'étais si excité que j'aurais pu recommencer tout de suite, mais j'ai préféré nettoyer mon petit dégât et les laisser finir leur soirée tranquilles.

Je suis retourné me coucher et je me suis endormi en me remémorant la scène pour être certain de ne jamais l'oublier.

Je me suis réveillé de nouveau, cette fois le matin, au son d'Alex qui faisait mousser le lait pour le café. Je lui ai signifié que je ne dormais plus en agitant un bras pour éviter de passer mon tour.

Il avait l'expression que j'imaginais, entre accablement et douleur, et l'air d'avoir dormi peu et mal. C'était une bonne nouvelle : ça voulait dire qu'il avait réussi. Il m'a sorti une tasse.

— Et puis, t'as rompu avec ta blonde qui était pas ta blonde ?

— Non. C'est elle qui l'a fait.

— Hein ?

— On a soupé près de son hôtel et puis on est allés dans sa chambre pour jaser tranquilles. Lou passait la nuit ailleurs.

J'ai tenté de rester concentré sur les propos d'Alex malgré cette image un peu déprimante, Lou qui m'avait plus ou moins ignoré deux jours auparavant et qui, le lendemain, était sans doute dans les bras d'un homme. Je suis en couple, alors oui, évidemment, je n'avais aucune raison d'être jaloux. Hum.

— Dès qu'on est entrés dans la chambre, j'ai vu sa face changer. J'ai tout de suite compris qu'elle en était arrivée à la même conclusion que moi.

— Elle avait peut-être senti que c'est ce que tu t'apprêtais à faire et elle a préféré te devancer. Question d'orgueil.

— Pas fou. C'est une belle façon de voir la chose.

Nous avons soufflé sur nos cafés et nous avons bu quelques gorgées en silence. Je me demandais ce que je pourrais lui dire de réconfortant sans être moralisateur. Je n'ai rien trouvé.

Cette rupture définitive avec un amour impossible – son premier véritable amour – l'effrayait. Depuis des années, il n'avait eu que des miettes de Sandrine, mais il s'en était contenté. Son amour, elle le donnait à un autre musicien, un qui n'avait pas eu peur de s'engager, de faire un enfant avec elle, de la marier et de lui jurer fidélité jusqu'à la fin des temps. Un gentil, docile et dévoué, un amant ordinaire, le genre qu'on laisse à la maison pour aller coucher ailleurs lorsqu'on est comme Sandrine, qu'on carbure aux émotions fortes et à la nouveauté. Sur ce point, Alex et elle étaient identiques.

Ça ne pouvait que mal finir. Et ça avait trop duré. Je soupçonnais Alex de croire, même s'il n'avait jamais osé l'avouer, que Sandrine reviendrait vers lui un jour. L'espoir, c'est la seule chose qui pouvait excuser le fait qu'il s'était contenté de si peu pendant si longtemps, lui qui pouvait tout avoir. Quarante-deux ans, en forme, très à l'aise financièrement, grand et mince, toujours aussi séduisant, avec du gris dans les cheveux, mais sans calvitie : je comprenais ses peurs, mais je ne m'inquiétais pas pour lui. Même s'il ne chantait plus, sa carrière d'auteur-compositeur allait bon train et on le reconnaissait fréquemment dans la rue. Des femmes belles et charmantes l'abordaient en bafouillant. Elles lui chantaient de ses refrains en écrivant leur numéro de téléphone sur un bout de papier. Il y en avait sans doute une parmi elles qui lui ferait oublier Sandrine.

— Et vous avez eu une baise de rupture ?

— Non. J'ai tenté une approche, après quelques verres de vin. Mais elle m'a dit que cette baise-là, on l'avait déjà eue, il y a dix ans.

— Aouch.

— Ça fait mal, mais c'est vrai. Alors on a jasé. Chacun assis dans un fauteuil. Elle dit qu'elle veut essayer d'être fidèle, qu'elle sent que son chum s'éloigne, qu'il se doute probablement de quelque chose. Elle veut pas le perdre. Elle trouve que notre liaison qui s'étire l'empêche de s'investir complètement dans son couple. J'ai pas le choix de lui donner raison.

— De toute façon, t'avais aussi tes raisons pour rompre. C'est ce que tu t'en allais faire, si ma mémoire est bonne.

— Ouais… Comme si ça suffisait pas, elle a précisé qu'elle trouvait aussi que notre relation était stagnante comme celle d'un vieux couple. Une relation adultère trop exclusive, jamais menacée. Ce qui l'excite dans une relation illicite, c'est la nouveauté, la découverte. Elle avait l'impression d'avoir deux chums. Elle a rompu avec moi et elle a gardé celui qu'elle aime.

L'ambiance allait bientôt me plomber le moral. Je ne voulais pas passer pour un ingrat qui n'avait pas de compassion pour un ami qui vivait un moment difficile, mais ma santé émotive était précaire et je sentais que je n'étais pas l'homme de la situation, la personne pleine d'entrain et de mots d'encouragement qu'il fallait pour lui redonner son optimisme. Il l'a senti aussi.

— Excuse, je veux pas trop t'emmerder avec mes histoires de cœur. T'as pas besoin de mes problèmes en plus des tiens. J'espère que tu regrettes pas d'être venu…

— Je suis tombé sur un spectacle de tes voisines cette nuit, alors je regrette rien du tout !

J'ai compris en lui racontant la scène qu'Alex n'en avait jamais vu autant dans la chambre d'à côté. Les deux filles étaient impudiques, certes ; parfois elles lisaient au lit en tenue légère ou passaient devant la fenêtre vêtues de rien d'autre qu'une culotte, mais elles ne l'avaient jamais invité à assister à leurs ébats sexuels. Il croyait que je le faisais marcher, mais a tout de même dit qu'il resterait aux aguets, un peu jaloux d'avoir manqué ça. Pour éviter de gâcher la scène, qu'il recréait dans sa tête à mesure que je lui livrais les détails, j'ai omis le passage où je me branlais. Je ne voyais pas comment je pouvais le lui raconter sans avoir l'air d'un détraqué sexuel et sans qu'il se demande si j'avais souillé le rideau.

Daniel est arrivé après le déjeuner, alors que je sortais de la douche et que je finissais de m'habiller. Je lui ai ouvert la porte. Ses premiers mots ont été une citation d'Edgar Allan Poe. « La journée la plus heureuse, l'heure la plus heureuse, mon cœur atteint et fané l'a connue. »

Il a abandonné sa valise dans l'entrée et s'est rendu à la cuisine d'un pas lourd. Alex lui a mis un café dans les mains. Même comparativement à nous, il avait mauvaise mine. Il semblait n'avoir pas dormi depuis longtemps. Nous nous sommes assis pour écouter son histoire.

Le voyage de Daniel, d'Ève et de leur fille Madeleine était censé durer deux semaines et les conduire dans quelques grandes villes du sud de l'Angleterre. Londres, Brighton, Southampton et retour à Londres pour reprendre l'avion. Il y a quelques jours, ils étaient sur l'île de Wight, dans le village de Shanklin. C'était l'anniversaire de naissance d'Ève le lendemain, et Daniel cherchait un stylo pour signer la carte qu'il lui avait achetée en cachette. Madeleine était couchée et Ève était installée sur la petite terrasse de la chambre d'hôtel, devant son ordinateur. Il s'est approché d'elle pour lui demander un stylo. Elle en a sorti un de son sac et le lui a donné avec un regard fuyant. Elle avait une main encore sur le clavier, quelques secondes avant il l'entendait écrire, mais, en regardant l'ordinateur, il n'a rien vu d'autre que le fond d'écran. Une photo de Madeleine prise dans un café à Paris quelques semaines auparavant. Daniel a trouvé ça louche. Plutôt que de lui demander ce qu'elle faisait, il est retourné dans la chambre comme si de rien n'était. Il a attendu qu'elle aille sous la douche et s'est rué sur l'ordinateur qu'elle avait déposé sur le lit. Le premier mot de passe qu'il a essayé était le bon : Madeleine. Il a ouvert la boîte de courriels. Et il a tout de suite vu ce qu'il n'était pas censé voir. Un message de Tristan. Tristan, à en juger par son adresse de courriel, était un collègue de travail d'Ève. Il lui souhaitait un joyeux anniversaire et s'ennuyait beaucoup d'elle. Il se trouvait un peu égoïste d'espérer qu'elle reviendrait vite au travail, mais il était comme ça, Tristan, il souhaitait à Ève des vacances reposantes, mais il était impatient de la serrer contre lui et de plonger son nez dans son cou parce qu'il était accro à son odeur vanillée.

Ève lui parlait souvent de ses collègues de bureau. Même s'il n'avait rencontré que quelques-uns d'entre eux, il avait l'impression d'un peu tous les connaître. Ce Tristan, accro à son odeur vanillée, elle n'en avait jamais parlé. Daniel réfléchissait à tout ça lorsqu'il a entendu Ève sortir de la douche. Il a fermé la fenêtre de la boîte de courriels et est allé prendre l'air sur la terrasse en tentant d'imaginer quelle serait la suite des choses.

Il pouvait voir son avenir proche se désagréger sous ses yeux. Il était cocu. La femme avec qui il avait un enfant couchait avec un autre homme. Un Tristan, quelque part à Paris, était impatient de la revoir.

Elle est sortie de la salle de bain et elle a choisi des vêtements. Il la regardait par la baie vitrée. Tout paraissait comme avant, mais plus rien ne l'était. Ève, qu'il n'avait jamais trompée. Ève qui ne le tromperait jamais. Elle lui a souri en enfilant une camisole pour la nuit. Elle ne savait pas qu'il savait. Il a fait l'effort de lui rendre son sourire. Puisqu'il n'avait encore aucune idée de la façon dont il allait gérer la situation, il préférait faire semblant de rien. Elle a mis un pantalon de pyjama avant de venir le rejoindre et de lui demander ce qu'il fabriquait. C'est à ce moment que Daniel est sorti de son état léthargique. Il a réalisé qu'il était debout, immobile, et qu'il n'avait encore rien écrit dans la carte d'anniversaire d'Ève. Il a haussé les épaules, bouche bée, incapable de répondre à cette simple question. Il ne se souvenait plus depuis combien de temps il était là. Ses nerfs ont lâché. Il a froissé la carte, a laissé tomber le stylo, s'est assis par terre et s'est enfoui le visage dans les mains pour pleurer.

Le lendemain matin, ils partaient pour une balade à Sandown, le village voisin. Ils n'avaient fait que somnoler durant la nuit et tentaient de cacher leur désarroi devant Madeleine. Le trajet de Shanklin à Sandown s'est fait dans un autobus rouge à deux étages, le genre qu'on a plutôt l'habitude de croiser dans les rues de Londres ou de Liverpool que dans la campagne luxuriante de l'île de Wight. Trente minutes à subir, au choix, la chaleur étouffante du premier étage ou les branches des arbres mouillés, à l'étage supérieur, qui entrent par les fenêtres et frappent le visage. Les autobus à impériale ne sont pas conçus pour la campagne.

Daniel admirait, entre deux coups de branches, les maisons anciennes aux toits de chaume, la route, les fleurs et aussi la Manche, qu'il apercevait parfois au détour d'un virage. Rien qu'il n'avait déjà vu à Shanklin, mais le but de cette balade était de se changer les idées, alors c'est ce qu'il tentait de faire. Malgré leur humeur, lui et Ève souhaitaient éviter de saboter leurs vacances en restant enfermés devant le téléviseur ou en retournant abruptement à Paris.

Sitôt débarqué dans le village désert, Daniel s'est appliqué à essayer de comprendre le panneau indiquant quel autobus allait les ramener à Shanklin, et à quelle heure. Quelqu'un quelque part avait réussi à compliquer quelque chose qui, à la base, était éminemment simple. Après de savants calculs, il a annoncé à Ève qu'ils avaient trois heures à tuer.

Ce qui lui a paru plutôt long.

Broyer du noir à l'arrêt de bus ne s'avérait pas une solution assez efficace pour passer le temps. Ève a proposé de trouver un restaurant et d'aller s'y étourdir en buvant de la bière. Il a pris Madeleine par la main et les deux ont suivi Ève dans les rues étroites et sinueuses qui menaient Dieu sait où. Le premier établissement ouvert sur lequel ils sont tombés faisait office de salon de thé, de taverne, de restaurant, de boutique de souvenirs, de kiosque d'information touristique et comprenait une grande terrasse et une aire de jeux pour les enfants. Après avoir déniché une table vide – à croire que tout le village s'était entassé au même endroit –, Ève a pris les commandes et s'est dirigée vers le bar sans attendre qu'on vienne les servir. Madeleine est allée se faire des amis autour des balançoires.

Entre Ève et Daniel, le silence. Il s'accrochait à sa pinte de rousse comme si c'était la seule chose qui l'empêchait de tomber à la renverse et de mourir là, d'ennui, de désespoir, qu'importe, étendu sur la pelouse, et d'avoir comme dernière image avant le noir ces quelques corbeaux lugubres tournoyant autour du Vernon Cottage. Ils étaient entourés de touristes anglais qui prenaient le thé dans des tasses finement décorées, assorties à des théières posées sur des plateaux dorés. Fascinant cliché. Deux enfants se chamaillaient sur l'aire de jeux, le frère et la sœur cherchant à se déloger l'un l'autre de la petite maison en plastique. Ils sortaient parfois par la cheminée pour glisser, leur pantalon épongeant l'eau croupie au bas de la glissoire où s'étaient noyés quelques moustiques, puis retournaient à l'intérieur. Daniel accumulait les moindres détails comme si ces moments étaient importants ; c'étaient peut-être les derniers qu'il vivait en famille. Ève observait tout autour pendant qu'il essayait de décoder l'expression de son visage. Impossible de savoir à quoi elle pensait. Il devait l'admettre, il ne la connaissait plus. Après la découverte de ce Tristan, il se demandait même à quel point il l'avait vraiment connue. Elle avait eu beau lui affirmer qu'elle n'avait jamais eu d'aventure avant, Daniel trouvait absurde de se fier au témoignage de quelqu'un qui avait eu un amant et avait réussi à le lui cacher. Il préférait éviter de penser à tous les secrets qu'elle lui cachait peut-être encore et dont il ignorerait toujours l'existence.

C'est là, en regardant des corbeaux perchés sur le toit, que lui est revenu en tête un passage d'un poème d'Edgar Allan Poe. Mais, étrangement, pas celui intitulé *Le Corbeau*. Le titre lui échappait, mais il se souvenait avec clarté de cette phrase qu'il avait récitée en arrivant chez Alex : « La journée la plus heureuse, l'heure la plus heureuse, mon cœur atteint et fané l'a connue. » Un croassement lugubre était venu appuyer ces mots qui lui revenaient, cette idée terrible que le meilleur de l'amour était derrière, vécu, détruit, et qu'aucune autre ne réussirait à aviver chez lui cette émotion rare qu'Ève avait fait naître et mourir. Il l'observait en se demandant s'il avait envie de l'étrangler pour cette trahison ou plutôt de la remercier pour ces belles années passées ensemble, surtout les deux premières, remplies d'amour, de connivence et d'affection, avant les années de cohabitation tranquille, de routine et d'étouffante normalité. L'arrivée de Madeleine avait soudé le couple tout en les éloignant de leur complicité sexuelle.

Une énorme fiente de corbeau a éclaboussé la table, entre les bières, et a sorti Daniel de ses pensées. Il a bu. À la dernière gorgée de sa première bière, il a commencé à se détendre. Il est allé au bar. Le serveur, qui astiquait ses verres avec soin et les faisait tournoyer dans la lumière, lui a jeté un regard compatissant, comme s'il devinait que sa vie amoureuse, après ce voyage, ne serait plus qu'un souvenir. Daniel lui a commandé deux pintes. Il aurait préféré se soûler avec lui plutôt qu'avec elle.

Il a posé les bières sur la table. Ève l'a fixé en silence, l'air désolé, ne sachant plus quoi dire ou quoi faire, sachant que tout était dit et qu'il n'y avait plus rien à faire. Daniel a rangé sa monnaie dans ses poches avant de se rasseoir. Elle a observé les tablées de vieillards qui croquaient dans des pâtisseries molles autour d'eux et s'est raclé la gorge avant de parler. « Estie de village plate ! » Daniel a pouffé de rire en tentant d'avaler sa gorgée, et de la bière lui est sortie par le nez. Il a continué de rire en toussant, et de voir Ève s'y mettre aussi a créé un effet d'entraînement. Il était incapable de s'arrêter, il peinait pour reprendre son souffle et n'essayait même plus de retenir ses larmes. Il riait encore et encore, la soupape venait de lâcher et il évacuait cette nuit d'inquiétude et de mauvais sommeil. Ève en avait beaucoup à évacuer aussi, elle essuyait ses larmes avec ses deux paumes. Madeleine était revenue auprès d'eux et tentait de savoir ce qu'il y avait de si drôle et, surtout, à quelle heure on mangerait le gâteau d'anniversaire. Il leur a fallu une bonne minute pour reprendre le contrôle d'eux-mêmes et recommencer à respirer normalement. L'exercice leur avait donné chaud. Un peu honteux, ils ont constaté que le silence s'était fait autour d'eux et que quelques personnes les observaient en détail. À la table voisine, trois vieilles dames leur ont souri en levant leurs tasses. Elles croyaient assister à un débordement de joie et devaient sans doute envier cette petite famille en apparence heureuse et insouciante.

Puis l'autobus les a ramenés à Shanklin. Le lendemain, ils ont pris le *ferry* jusqu'à Portsmouth et, de là, le train jusqu'à Londres. Daniel arrivait tout juste de l'aéroport où il avait regardé l'avion où se trouvaient Ève et Madeleine décoller de la piste et les ramener à Paris.

J'ai écouté attentivement toute l'histoire et, pourtant, j'avais encore de la difficulté à croire que tout était fini entre Daniel et Ève. Ils étaient toujours là l'un pour l'autre et avaient passé à travers quelques crises majeures. Daniel avait mis la clé dans la porte du magasin de disques qu'il gérait à Montréal, à la suite d'une prévisible faillite. Plus personne n'achetait de disques. À son décès, le propriétaire lui avait légué sa deuxième boutique, située à Paris, qui ne valait plus grand-chose non plus, mais qui venait avec un immeuble, le commerce au rez-de-chaussée et un appartement à l'étage. Daniel avait eu envie d'y tenter sa chance, de transformer le commerce en librairie, et Ève avait tout lâché pour le suivre. Ils s'étaient endettés pour les rénovations et ça avait pris du temps avant que la librairie devienne rentable et qu'Ève puisse cesser d'y travailler pour trouver un emploi dans son domaine. Et le fait d'élever leur enfant à Paris avait engendré quelques conflits avec leurs familles, qui leur reprochaient de les empêcher de voir grandir Madeleine, comme si elle leur appartenait. Cette nouvelle vie leur coûtait une fortune en billets d'avion et les contraignait à héberger fréquemment des parents aigris. Ces dernières années, leur vie avait tout de même repris un rythme normal : la librairie allait bien, Ève avait un boulot payant en marketing pour une chaîne de boutiques de vêtements, Madeleine était une fillette drôle et vive, et, soudain, le chaos.

Selon Daniel, tous les signes d'une rupture potentielle étaient là, mais il ne leur avait pas prêté attention. Ève était devenue impatiente avec lui depuis quelque temps, tout ce qu'il faisait lui tombait sur les nerfs. Il cognait parfois sa fourchette sur ses dents en mangeant, il se mordillait les lèvres, il bougeait trop en dormant, il ronflait, rien que le fait qu'il soit vivant semblait irriter Ève. Il la fuyait dans la maison, allait se coucher seulement après qu'elle s'était endormie, il évitait les affrontements, mais savait qu'il ne pourrait endurer ça longtemps. Il avait découvert l'existence de Tristan avant qu'ils aient pu avoir une discussion sur le sujet. Même s'ils n'en avaient pas parlé ensemble, pour Daniel, tout était clair : c'est l'arrivée du nouvel homme dans la vie d'Ève qui rendait l'ancien insupportable.

Alex lui a posé avant moi la question que j'avais en tête.

— Mais là, tu l'as laissée parce qu'elle a couché avec un autre ?

— Quand je l'ai interrogée, elle a commencé par me dire que c'était « une erreur ». Une erreur, tu fais ça dans un bar, soûl, à deux heures du matin. Une fois. Ça fait trois mois qu'elle couche avec son *fucking* Tristan.

— Oh. Mais elle regrette ? Elle veut arranger les affaires ?

— Je le sais pas. Pour l'instant, elle capote sur son Tristan, je pense.

— Et toi ?

— Moi ? Je l'ai sacrée là. Je vais pas me mettre à genoux devant elle pour l'implorer qu'on revienne ensemble alors que tout ce que je fais l'énerve.

Je m'en suis mêlé en lui demandant s'il comptait retourner à Montréal.

— Ça va dépendre d'elle. Sa vie est à Paris, maintenant, et la mienne aussi. Je veux rester, mais, si elle part, j'ai pas envie de voir ma fille seulement deux fois par année. L'immeuble, on peut le vendre. La librairie et notre appartement au-dessus, ça vaut pas mal d'argent. Y a tellement de choses à planifier. On l'a même pas encore annoncé à Madeleine. On sait pas trop comment s'y prendre. Pour l'instant, j'ai surtout besoin d'un verre. Il est quelle heure, là ?

Je lui ai proposé d'attendre au moins au dîner pour commencer à boire et je l'ai plutôt orienté vers la douche. Il semblait avoir dormi dans ses vêtements et n'avoir réellement aucune idée de l'heure qu'il pouvait être.

Alex était désolé pour Daniel, ça se voyait, mais je le connais assez pour savoir qu'il trouvait une mince consolation au fait de s'être découvert un confrère de malheur. Je me doutais bien que les deux s'épancheraient sur leurs déboires amoureux respectifs pendant les prochains jours. Ça m'enchantait plus ou moins. Je n'avais pas le moral à remonter le moral. J'avais pensé en venant ici que ce serait mon moral dont on s'occuperait. J'étais au mauvais endroit au mauvais moment, mais, d'un autre côté, j'ignorais où je pouvais aller d'autre.

Je me suis laissé quelques jours pour réfléchir. Peut-être qu'à nous trois, en nous appliquant, nous réussirions à nous remettre de bonne humeur. Mais je n'y croyais pas beaucoup.

○○○

À midi quinze, une serveuse a déposé la deuxième tournée de gin tonics sur la table. La terrasse du Coppa Bar & BBQ se remplissait rapidement, de petits groupes se lançaient à l'assaut des meilleures tables autour de nous. Il faisait beau, la musique était bonne et nos fous rires idiots se mêlaient à l'agitation ambiante. Nous étions au début de l'été, les femmes étaient belles, et nous étions fermement résolus à profiter de la vie plutôt que de nous apitoyer sur notre sort. J'étais en mauvais état, accompagné de deux nouveaux célibataires désemparés, mais nous étions vivants. Nous allions survivre à ce triste épisode comme nous avions survécu à beaucoup d'autres.

Cet optimisme a duré une bonne heure.

Jusqu'à ce que Daniel, en parlant d'un tout autre sujet, nous rappelle que nous étions tous les trois des quadragénaires. Nous avons frissonné rien qu'à entendre le mot. *Quadragénaire* était un mot que nous utilisions lorsque nous étions adolescents pour désigner les moustachus sévères, les chauves bedonnants, les profs de philo aux airs de pédophiles ou n'importe quel adulte déprimant à qui nous ne voulions jamais ressembler.

Nous n'étions pas encore de vieux cons, mais bien des choses avaient changé depuis l'insouciance de notre adolescence. Chacun avait ses pilules à avaler le matin ou le soir : Alex avait son Singulair contre l'asthme, Daniel avait son Synthroid pour pallier sa glande thyroïde défectueuse, et moi je croquais régulièrement des comprimés contre les douleurs musculaires et contre les allergies saisonnières qui s'étiraient sur neuf mois de l'année. Nous fréquentions des ostéopathes et des massothérapeutes. La cuisine indienne nous donnait des brûlements d'estomac, nous devions nous méfier des reflux gastriques et des indigestions. Hier encore, il me semblait qu'une poutine à trois heures du matin suffisait pour contrer les effets de l'abus d'alcool alors que maintenant ça nous prenait deux jours et des Advil toutes les quatre heures pour nous relever d'une brosse. Il y a de mauvaises habitudes que nous tardions à changer : il fallait manger mieux, ménager notre foie, diminuer notre consommation de sucre, de sel et de gras ; la quarantaine était là pour nous rappeler que nous étions mortels et que notre corps demandait de l'entretien.

Nous connaissions tous les trois quelqu'un, de près ou de loin, qui avait claqué sans avertissement après une crise cardiaque ou qui était mort d'un cancer foudroyant avant d'atteindre quarante-cinq ans. Les douleurs étranges qui autrefois s'estompaient après deux ou trois jours nous conduisaient désormais à la clinique la plus proche, à craindre le pire. Après des heures d'attente parmi les décrépits et les affreux, les parents en panique et les vieillards désœuvrés, nous nous faisions dire que non, ça va, c'est bon pour cette fois, vous n'en mourrez pas, prenez ces antibiotiques et dans deux semaines tout ira mieux. N'empêche, nous avions maintenant conscience que notre tour viendrait. Nous étions sans cesse tiraillés entre l'envie d'être prudents pour rester en forme et en santé le plus longtemps possible, et celle de vivre intensément, comme s'il n'y avait pas de lendemain, afin de n'avoir aucun regret au moment de rendre notre dernier souffle.

Aux environs de quatorze heures, Daniel cherchait toutes les jolies femmes du regard, les unes après les autres. Avec plus ou moins de succès. J'avais beau lui dire qu'à la table où nous étions il n'avait affaire qu'à celles qui revenaient des toilettes, et qu'aucune femme n'a le goût de se faire draguer alors qu'elle vient de changer son tampon et de se laver approximativement les mains à un lavabo qui ne laisse couler qu'un filet d'eau froide, il prenait son manque de succès comme un échec personnel.

— Ça y est. Je suis trop vieux. Les belles filles me voient comme un mononcle. Ou elles me voient même pas.

La situation n'allait pas en s'améliorant. Alex a tenté de le réconforter :

— Les filles, on s'en fout, Daniel. Oublie ça. Pense aux femmes de notre âge. Oui, évidemment, c'est cool de coucher avec une fille de vingt-deux, vingt-trois ans. Elles veulent prouver qu'elles savent tout, alors au lit elles font des trucs pas possibles. Pour ça, c'est merveilleux. Mais une fois que c'est fini, discuter avec elles, quand elles sont à l'âge où elles pensent tout connaître, c'est vraiment pénible. Et parce que t'es plus vieux, elles veulent te prouver qu'elles sont ton égale, alors elles parlent et elles parlent, et tu sais jamais comment les mettre à la porte. Crois-moi, j'en ai rencontré des tonnes. Il y en a une, il a suffi qu'elle me fasse une pipe pour déclarer être ma muse et qu'elle répande des photos de nous deux partout sur les réseaux sociaux. Un cauchemar. Et puis en plus elles ont toutes des noms composés impossibles à retenir, des trucs dingues comme Kelly-Ann ou Laurence-Aurélie. Bon. Y a pas que des mauvais côtés, remarque. J'adore leur optimisme, ça fait du bien. La vie leur est pas encore passée sur le corps. Elles ont l'impression que le monde est à eux, et le monde leur a pas encore prouvé le contraire. Elles sont candides, la vie les enchante. C'est ça, beaucoup plus que leur corps ferme, qui les rend séduisantes. Elles vivent. Elles mangent avec plaisir parce que les kilos n'ont pas encore commencé à s'accumuler. Et celles qui ont quelques kilos en trop les portent bien, elles se disent qu'elles sont jeunes et actives, qu'elles vont perdre ça bientôt. Elles s'en font avec rien et c'est même la raison pour laquelle je peux pas avoir de relation sérieuse avec ces filles-là : je veux pas ternir leur fraîcheur. Elles sont franches, folles et imprévisibles. Elles font tout avec intensité, comme si c'était le dernier jour de leur vie. Elles t'aiment intensément une journée et le lendemain elles saccagent intensément ton appartement pour un caprice, elles disparaissent sans prévenir et reviennent un mois plus tard au milieu de la nuit en pleurant ou en riant, ou les deux en même temps. J'aime les filles dans la vingtaine, je rêve d'une femme de mon âge qui aurait su préserver ce tas de défauts qui font que les jeunes sont si spontanées. Et, oui, je le sais, c'est ma propre mort que je tente de fuir dans les cris et les étourdissements des filles qui viennent sauter dans mon lit en me lançant des oreillers et en buvant de la vodka à même la bouteille. Sans ces jeunes femmes autour de moi, je sens que je m'éteins. Bon. Euh. Où est-ce que je m'en allais, avec ça ?

J'ai répliqué que, selon moi, il voulait vanter à Daniel les vertus des femmes mûres.

— Ah oui, oui, c'est ça ! Daniel, occupe-toi plutôt des femmes de notre âge. Les femmes dans la vingtaine sont imprévisibles, c'est pas pour toi. Les femmes dans la trentaine sont occupées à chercher un homme avec lequel se reproduire. Ce que tu veux, c'est une femme fin trentaine, début quarantaine. C'est encore mieux si elle a eu des enfants. En couple ou pas, peu importe : ça arrive souvent que son chum ne la voie plus que comme la mère de ses enfants et qu'il la délaisse. Elle a envie de sentir qu'elle est encore belle et désirable, mais elle a plus ça à la maison. Si un gars prend plus soin de sa blonde, tant pis pour lui. Qu'il vienne pas s'offusquer qu'un autre la traite comme une reine. Elle mérite sûrement mieux que l'indifférence de son chum.

Daniel s'est senti interpellé. Il était un peu ce gars qui ne prenait plus soin de sa blonde.

— Au début, on baisait ! Comme des lapins ! Deux obsédés ! Dans toutes les pièces de l'appartement, dans le lit, sur une table ou un comptoir, avec des jouets, pas de jouets, de tous bords tous côtés, mais on a fait comme plein d'autres, on s'est laissés aller. À la fin, notre créativité s'exprimait dans nos excuses pour pas baiser. La fatigue, le stress, la chaleur, le froid, n'importe quoi. Tu commences par te masturber quand elle est pas là parce que tu te dis que de toute façon elle aura pas envie de baiser quand elle va arriver. Et ça dégénère : tu te masturbes en te disant que c'est moins compliqué de te satisfaire toi-même que d'espérer qu'elle aura peut-être le goût ce soir-là. La suite, c'est que tu te masturbes en te disant que tu sais plus comment lui donner envie de baiser, qu'elle est juste tannée de toi, de te voir tous les jours, dans les moments les moins glorieux de ta vie. Tu jouis, tu t'essuies avec une poignée de mouchoirs et tu te dis que c'est plate, mais que c'est simple. Tu vois ta blonde comme une mère, elle te voit comme un père, et vous vous mettez tous les deux à rêver à autre chose.

Le plus triste dans tout ça, c'est qu'elle m'a trompé mais, si j'en avais eu l'occasion, peut-être que je l'aurais fait avant elle.

Il m'a regardé.

— T'es pas tanné, toi ? T'as jamais envie d'autre chose ?

J'étais plutôt mal à l'aise avec cette question complexe à laquelle il était difficile de répondre intelligemment sans prendre le temps d'y réfléchir. Il l'a senti.

— Bon, allez, on peut parler de trucs plus légers, hein.

Alex a approuvé et s'est levé pour aller nous chercher à boire. J'ai retourné la question à Daniel.

— Et toi, là, t'as envie de quoi ?

Il a haussé les épaules avant de répondre.

— Pfft. Si seulement je le savais. Avant de laisser Ève, j'avais envie de la moindre femme qui me souriait. Là, je regarde toutes celles autour et je me rends compte que ça m'intéresse pas. Elles sont belles, elles m'attirent, mais je suis pas d'humeur à draguer, encore moins à finir au lit avec une inconnue.

— Ah ! T'as changé !
— Comment ça ?
— Quand t'as rompu avec Sophie, t'avais envie de coucher avec toutes les autres. Et tu pensais sérieusement que tu le ferais.

— Ouais. J'étais jeune et en rut. Et optimiste. Et je me suis vite retrouvé enfermé dans mon demi-sous-sol crasseux à déprimer.

— Il y en a qui ont la rupture plus facile…

D'un geste de la tête, je lui ai indiqué Alex, au bar extérieur, qui discutait avec une grande rousse à lunettes qui lui accordait toute son attention.

— Laisse-moi deviner: il va finir la soirée avec elle, et nous on va retourner tout seuls à son appart, à espionner ses deux voisines. Elles sont encore là, j'espère?

Je l'ai rassuré en lui racontant quelques bons moments du spectacle auquel j'avais eu droit, ce qui nous a menés à une discussion exagérément sérieuse à propos du «ciseau», cette position sexuelle où les femmes se frottent la chatte l'une contre l'autre. Selon lui, c'était courant, alors qu'une amie lesbienne m'avait déjà dit que c'était un cliché de films pornos pour faire saliver les hommes, que c'était peut-être plaisant à voir, mais pas du tout confortable dans son application pratique. J'ai eu gain de cause parce que ma source d'information était plus fiable que la sienne.

Un serveur nous a demandé si nous voulions autre chose à boire. Nous avons tous deux regardé en direction du bar, dans un même mouvement, mais Alex n'y était plus. La grande rousse avait disparu, elle aussi. Alors nous avons commandé une nouvelle tournée sans espérer son retour.

Nous avons trinqué à l'inaltérable succès d'Alex auprès des femmes et nous avons joué à roche, papier, lesbiennes pour savoir qui dormirait dans son lit. J'ai gagné. Et puis nous avons finalement commandé à manger et nous avons attendu nos assiettes en fantasmant sur toutes les jolies femmes autour de nous avec lesquelles nous ne coucherions jamais.

○○○

Lorsque je me suis réveillé, peu avant midi, Daniel ronflait à mes pieds, roulé en boule au bout du lit. Ma tête bourdonnait et j'étais déshydraté. Mon souhait le plus cher était qu'un saint-bernard vienne à ma rescousse avec un baril d'eau fraîche et une poignée d'Advil. Je me suis laissé retomber dans un demi-sommeil peuplé de rêves sans queue ni tête, sans début ni fin, jusqu'à ce que mon docteur s'avance vers le lit et me juge rien qu'en croisant les bras et en fronçant les sourcils. J'ai sursauté et je me suis extirpé de ce rêve avant que le docteur Schloss me crache au visage et m'arrache le foie pour le jeter aux poubelles.

Je me suis levé en prenant mon temps, pour éviter que ma tête se fende en deux. Daniel n'était plus dans la chambre. En route vers la salle de bain, je l'ai croisé, dans le salon, déjà bien réveillé, qui remplissait sa valise.

— J'ai fait une connerie, *man*. J'ai fait une connerie.

Il s'est mis à m'expliquer tout ça rapidement, trop rapidement pour que je puisse saisir la moitié de ce qu'il disait. J'ai levé un doigt en l'air pour le prier d'attendre que j'aie pris un grand café s'il souhaitait que je participe à l'échange, mais je crois qu'il voulait surtout s'expliquer des choses à lui-même. Je me suis rendu à la salle de bain en lui tendant l'oreille. Il voulait s'excuser, si je comprenais bien, avouer à Ève qu'il s'était emporté beaucoup trop vite, sans réfléchir aux conséquences. Elle lui manquait; vivre une autre vie que celle qu'il avait avec elle et Madeleine lui semblait impensable, ils pouvaient devenir un couple ouvert, si Ève le désirait, qu'elle couche ailleurs si ça lui chante, mais qu'ils trouvent un moyen de rester ensemble. En repassant par le salon pour me traîner jusqu'à la machine à café, j'ai hoché la tête pour lui faire savoir que j'approuvais. J'ignorais s'il avait des chances de retourner avec Ève, mais c'était clair qu'il avait décidé de la quitter dans un moment trop émotif. Le célibat dans lequel il venait de se lancer n'était pas la promesse d'une liberté nouvelle et libératrice, mais un échec. L'échec de son couple. Il se voyait vieillir seul, aigri, avec de rares visites de sa fille qui n'aurait plus rien à lui dire. Alcoolisme, déchéance, dépression, solitude, les contrecoups possibles de sa décision l'effrayaient.

Je ne comprenais pas comment il pouvait bouger avec aisance et parler avec lucidité alors qu'il avait bu autant que moi – c'est-à-dire beaucoup trop –, et que nous nous étions couchés à la même heure – c'est-à-dire beaucoup trop tard. Rien que montrer du doigt ou grogner me demandait un effort considérable.

— Peut-être qu'il fallait ça pour ranimer notre couple. Peut-être que le fait de savoir qu'on peut perdre l'autre à tout moment va raviver notre vie sexuelle. Peut-être que son infidélité est un acte manqué, un moyen malhabile qu'elle a trouvé pour qu'on se remette en question. J'en sais rien. J'étais trop en colère pour qu'on prenne le temps d'en parler. Peut-être qu'il est pas trop tard pour discuter. Un Tristan, câlisse. Elle peut pas s'attacher à ça. Peut-être qu'elle a juste couché avec le premier venu pour m'envoyer un message que j'ai pas compris parce que je suis trop con.

Ça faisait beaucoup de « peut-être », mais, visiblement, il voulait tenter sa chance. Il avait l'air sincère et déterminé, je ne pouvais que l'encourager dans sa démarche. J'ai hoché la tête en posant des tasses sur le comptoir.

— Je pense pas qu'elle m'aurait avoué qu'elle couchait avec un de ses collègues de bureau si je l'avais pas découvert. Il faut que je le sache. Peut-être qu'elle aurait vécu comme ça, avec son chum, son enfant, son amant, et que j'aurais jamais rien su. Et plus j'y pense, plus je me rends compte que j'ai mes torts là-dedans, moi aussi. J'étais plus là. Les derniers temps, chaque fois qu'elle me parlait, il fallait que je la fasse répéter. C'est comme si mon cerveau voulait plus l'entendre, qu'il était passé à autre chose, qu'il souhaitait effacer Ève de ma vie. Un truc de dingues. C'est fou à quel point on peut laisser son couple s'enliser dans la merde sans rien faire. Tu te garroches direct dans un mur en t'imaginant qu'une porte va apparaître et s'ouvrir juste avant que tu te casses les dents sur la brique. Mais ça arrive jamais.

Nous avons entendu une porte s'ouvrir et un grognement. Alex avait dormi sur le sofa dans sa pièce de travail insonorisée. Après un passage rapide à la salle de bain, il est venu nous rejoindre, fatigué mais souriant. Il avait passé la soirée et une partie de la nuit avec la grande rousse à lunettes, qui l'avait invité à son appartement. Il aurait pu dormir là, mais il avait refusé l'offre ; il était incapable de partager un lit avec une autre femme que Sandrine. Il avait essayé quelques fois, mais, inévitablement, il restait de longues heures allongé sur le dos, les yeux grands ouverts, à se demander ce qu'il faisait là. Il ramassait alors ses affaires et partait sans un bruit, avant que le jour se lève, en laissant un petit mot gentil sur l'oreiller. Pour lui, la chose était évidente : s'il réussissait à s'endormir avec une femme et à se réveiller avec elle le matin, il saurait sans se tromper qu'il était amoureux.

J'étais peu lucide, mais tout de même assez pour lui faire réaliser que sa technique était boiteuse : s'il ne tombait pas amoureux d'une femme la première fois qu'il dormait chez elle, il ne tenterait plus de passer la nuit à son appartement, elle le prendrait mal, cesserait de le fréquenter, et cet amour possible ne se développerait jamais. Il m'a regardé sans trop comprendre, m'a dit que si lui était boiteux, moi, j'étais cul-de-jatte. Nous avions tous besoin de café.

ooo

Nous avons déposé Daniel à l'aéroport à la fin de l'après-midi. Il est resté silencieux pendant tout le trajet. Impossible de savoir s'il était optimiste ou non quant à la survie de son couple. Nous lui avons souhaité bonne chance, il a promis de nous tenir au courant de la suite des événements. Nous étions plus volubiles au retour, Alex et moi, à nous demander ce que nous pourrions faire pour l'aider sans rien trouver, à imaginer ce que serait sa vie sans Ève, ou sa vie avec Ève s'ils décidaient de se donner une deuxième chance, bref, nous étions totalement impuissants, perdus dans d'inutiles suppositions. Nous avons ouvert la radio, tant qu'à dire des niaiseries. Alex m'a fait découvrir un petit restaurant portugais sympathique où nous avons commandé du poulet, des frites et les inévitables *pastéis de nata. Fuck* Schloss. Nous sommes allés manger dans un parc, le soleil dans les yeux.

De retour à l'appartement, Ève et Madeleine nous attendaient, assises en indien sur le palier, devant la porte de chez Alex. Nous nous sommes tous regardés, perplexes, avec différents degrés de surprise sur le visage. Alex et moi avons deviné la question d'Ève avant même qu'elle sorte de sa bouche: « Où est Daniel ? » Le fait qu'elle soit là me semblait être une bonne nouvelle, elle voulait discuter avec Daniel, et peut-être que tout allait rentrer dans l'ordre. La mauvaise nouvelle, c'est que Daniel était sans doute dans un avion en route vers Paris à ce moment-là. Je me suis empressé de l'appeler, mais il n'a pas répondu. Ève s'est trouvée conne de ne pas s'être assurée qu'il serait là avant de revenir à Londres. Elle s'est levée et serait tout de suite repartie chez elle si Alex ne l'avait pas retenue. Elle avait l'air d'être dans un état de fatigue avancée. Il a réussi à la convaincre de rester pour la nuit, afin qu'elle puisse se reposer un peu.

Elle n'était pas très fière de son geste et se sentait mal d'être là, à se faire héberger par deux bons amis de l'homme qu'elle avait trahi. Nous en avions vu d'autres,

Alex et moi, nous vivions très bien avec ça. Et elle n'était pas la première ici à faire une connerie, elle connaissait d'ailleurs la plupart des nôtres. Mes arguments ont semblé la rassurer un peu.

Alex, comme moi, voyait qu'Ève avait besoin de parler, mais pas devant sa fille. J'ai proposé à Madeleine de s'installer devant la télé avec une grosse paire d'écouteurs, mais elle a refusé avec une moue dédaigneuse.

— Pfft. J'écoute pas ça, la télé. Si vous voulez parler d'affaires sérieuses en cachette, je vais aller lire dans la chambre.

Elle a fouillé dans le sac de voyage d'Ève, en a sorti son iPod, deux livres et est partie sans nous regarder. Ève et moi avons ri de l'étonnement d'Alex; le sens de la répartie des enfants lui était peu familier. J'ai débouché une bouteille de pinot gris et nous nous sommes installés dans le salon.

Tristan, c'était l'insignifiant du bureau. Un timide qui ne l'avait jamais draguée, un célibataire endurci qui semblait avoir peur des femmes. Elle aurait pu coucher avec l'un ou l'autre de ses collègues qui ne se gênaient pas pour lui laisser savoir qu'elle leur plaisait, elle avait choisi celui qui ne lui avait jamais témoigné le moindre intérêt. Elle l'avait fait pour le défi, pour se rassurer sur son pouvoir de séduction. Elle s'était retrouvée avec un exalté qui lui écrivait des poèmes ridicules et qui refusait de comprendre que tout ça n'était qu'une histoire de cul, une échappatoire à sa vie sexuelle sans surprise. Elle avait couché avec Tristan souvent, assez souvent pour qu'il commence à se faire des idées, qu'il se mette à croire que c'était là le début d'une belle histoire. Au travail, il déposait parfois un muffin sur son bureau, avant son arrivée, qu'elle jetait à la poubelle sans se cacher. Il se disait probablement qu'elle n'aimait ni les pépites de chocolat, ni la farine d'avoine, ni les myrtilles et ne se laissait pas décourager : il finirait bien par trouver une saveur qui lui plairait. Il était patient.

Lorsque Daniel était tombé sur un bout de correspondance qu'elle n'avait pas eu le temps d'effacer, il y avait déjà un moment qu'elle tentait de faire comprendre à Tristan qu'ils ne coucheraient plus ensemble. Des rumeurs circulaient à leur sujet au bureau, et elle se demandait si ce n'était pas lui qui les avait propagées.

Raconté de cette façon, son crime ne semblait pas si terrible. Ève avait eu un instant de faiblesse alors que son couple était dans un creux. Et c'est Tristan qui avait insisté pour qu'il y ait une suite après la première fois où ils avaient couché ensemble. Nous ne le disions pas, mais je savais qu'Alex pensait la même chose que moi : peut-être que tout ça était vrai, mais Ève avait un rôle presque passif dans son explication des faits. Un peu plus et elle nous disait qu'elle était tombée nue dans le lit de son collègue de bureau par accident et qu'il lui avait glissé le pénis dans la bouche sans le faire exprès. Je me doutais que Daniel aurait de la difficulté à croire à cette version *soft* de l'histoire.

Une chose sur laquelle j'étais de son avis : elle trouvait injuste que Daniel l'ait rejetée si vite, sans lui laisser la chance de s'expliquer, sans que les deux puissent se questionner sur la viabilité de leur couple. Elle se demandait même s'il n'avait pas déjà songé à la quitter sans en avoir le courage et s'il ne s'était pas servi de ce prétexte pour en finir. Elle n'en savait rien. Elle était fatiguée. Elle souhaitait dormir pendant un mois et se réveiller fraîche et dispose, pleine d'énergie, prête à reprendre sa vie en main. Elle était écœurée de Paris et rêvait de retourner à Montréal. Elle voulait s'étourdir, se soûler, rire, se sentir légère, elle ne se souvenait pas de la dernière fois qu'elle avait eu un fou rire qui ne cachait pas une envie de pleurer. Elle ne se reconnaissait plus. Elle aimait encore Daniel, mais n'aimait pas ce couple ennuyeux qu'ils devenaient. Elle n'aimait pas cette vie stable mais sans surprise qu'ils avaient choisie ensemble. C'était une erreur. Elle avait envie de spontanéité, elle voulait pouvoir dire oui aux expériences nouvelles qui s'offraient à elle.

J'ai tout de suite eu l'image d'un trip à trois, là, dans le salon, image que j'ai vite chassée de mon esprit pour éviter de perdre le fil de la conversation. Je me suis presque excusé à haute voix pour ce fantasme qui m'arrivait pendant un témoignage émotif et poignant. Oui, si ce n'étaient les considérations pratiques et le bordel que ça risquait d'engendrer, la plupart des hommes coucheraient avec les blondes de leurs amis.

Les filles avaient faim, Alex leur a commandé de la bouffe indienne. Madeleine est retournée lire dans la chambre aussitôt son assiette terminée. Ève voulait fouiller sur Internet pour trouver un hôtel, mais Alex et moi avons insisté pour qu'elles dorment ici, il y avait un lit et assez de sofas pour tout le monde. Alex a dit à Ève qu'elle et sa fille pouvaient rester aussi longtemps qu'elles le souhaitaient. J'ai senti une drôle de proximité entre eux deux, comme s'ils avaient déjà partagé des secrets ou couché ensemble, mais j'ai rempli leurs verres sans les questionner du regard, ce n'était sans doute que le fruit de mon imagination d'homme en manque de sexe.

Ève a quitté la table lorsque Daniel a appelé, sitôt arrivé à la maison, voyant qu'il était seul. Elle n'était qu'à quelques pas, dans le salon, nous pouvions donc suivre la conversation, mais elle a fait ça court, elle a raconté son retour à Londres et lui a dit qu'ils parleraient dès qu'elle serait rentrée. Elle n'a pas été plus précise sur la date de son retour, a même dit qu'elle n'était pas pressée, que ce mauvais calcul qui les obligeait à dormir l'un sans l'autre était peut-être une bonne chose, finalement. Elle a regardé Alex dans les yeux en le disant, j'ai trouvé qu'il y avait une légère tension sexuelle dans l'air, mais, encore une fois, j'ai fait celui qui n'avait rien remarqué.

Daniel et moi avons toujours été un peu jaloux de l'effet qu'Alex produit sur les femmes. Mais nous ne nous étions jamais posé la question sur l'effet qu'il produit sur nos blondes. Plus concrètement : irait-il jusqu'à coucher avec elles ? Et Martine et Ève se laisseraient-elles tenter ? J'ai préféré ne pas trop réfléchir à ces questions.

Avant d'aller dormir, j'ai fait une visite à Blainville par ma webcam. Tout le monde voulait dire bonjour à tout le monde, alors nous parlions tous en même temps : Madeleine voulait résumer ses récentes lectures à Ariane ; Martine, qui apprenait la rupture, voulait savoir comment Ève allait ; Ève s'étonnait de voir à quel point nos enfants étaient rendus grands ; Ariane nous a présenté ses nouveaux bricolages, sur lesquels nous nous sommes répandus en compliments enthousiastes malgré leur aspect désolant, et Zacharie nous a raconté ses plus récents exploits à ses jeux vidéo. Ensuite, pour un peu plus d'intimité, je me suis réfugié dans le local de répétition d'Alex. Martine semblait en forme, souriante et pleine d'énergie, elle était plus bronzée que d'habitude et s'était fait raser les cheveux d'un côté de la tête. Ça lui allait bien. Elle avait une surprise pour moi. Elle a quitté l'écran un instant pour revenir avec ma valise, perdue, retrouvée et renvoyée à Blainville plutôt qu'à Londres. Je devrais donc en acheter une nouvelle pour le voyage de retour. Nous avons parlé longtemps, je lui ai montré quelques-uns de mes vêtements neufs, elle m'a trouvé beau. Nous avions de nouveaux voisins, qui venaient de s'établir dans la maison à gauche de la nôtre. Ils se faisaient installer une piscine hors terre avec un immense patio tout autour. C'était un jeune couple qui avait l'air sympathique, me disait-elle, avec un garçon de l'âge d'Ariane. Elle ne leur avait pas encore parlé. Ah, et elle s'était fait tatouer. Deux cerises sur chacun de ses bras, en haut des coudes. Elle avait hâte de me les montrer en vrai.

Ces discussions à distance avec ma famille me laissaient chaque fois une drôle d'impression. La vie se déroulait sans moi, Martine cédait à de nouvelles envies et, à moins qu'ils le cachent bien, je m'ennuyais beaucoup plus de mes enfants qu'eux s'ennuyaient de moi.

ooo

Nicolas.

J'avais essayé de t'écrire une lettre, mais ça ne menait à rien. Tu ne la liras jamais. Je l'ai déchirée en petits morceaux et jetée à la poubelle en grimaçant. C'était un enchevêtrement de réflexions sans suite logique, comme si j'avais noté mes émotions dans un journal intime, pour mieux me comprendre moi-même et non pour être lue et comprise. Je recommence en espérant que cette fois je serai claire et concise. Honnêtement, ça ne peut pas être pire que la première fois. Ce que j'ai à dire est pourtant simple, mais c'est la peur qui complique tout. On se fait croire qu'on peut tout se dire, mais, au fond, ce n'est pas vrai. On évite certains sujets par peur de faire de la chicane et, après seize années en couple, on ne sait plus comment en parler. Comme si la chose prenait des proportions démesurées pendant le temps qu'elle passe dans l'obscurité. Mais cette chose grandit et, ce qui me donne le courage de t'écrire aujourd'hui, c'est que je me dis que tu dois bien la voir aussi. Un couple uni comme le nôtre doit aussi l'être dans les problèmes qu'il vit. Bon. C'est vague, je fais encore des détours, je m'égare. Ce que je veux dire, c'est que si moi je pense que notre couple ne va pas super bien, je me dis que tu dois penser ça aussi. On est aussi exigeants l'un que l'autre dans la vie, alors je ne vois pas pourquoi ce serait différent dans le couple. J'écris en espérant que tu te diras que j'ai raison, que tu avais les mêmes réflexions sans savoir comment en parler et que tu me trouveras bonne de m'être lancée la première. Même si ce ne sera pas facile et que ça pourrait ébranler notre couple, j'espère que tu seras soulagé de voir qu'on vit les mêmes choses et qu'on est assez adultes pour en parler. Si tu n'as qu'une réaction de surprise et que tu me dis que tu ne voyais pas qu'on avait un problème, le problème est plus grave que je le croyais. Non seulement il ne reposerait que sur moi, mais tu ne t'en serais pas rendu compte. Je me sentirais très seule là-dedans. Bon. Voilà que j'écris et j'écris, et je n'ai encore rien dit. On dirait que le courage me manque. J'ai peur de ta réaction. J'en suis encore à me demander si je dois t'écrire ou si je dois me taire. Même si je sais que me taire ne peut rien apporter de bon et ne fera que retarder la crise que cette lettre pourrait générer. ~~Alors voilà. Je vais le dire simplement. Inutile de faire plus de détours. Je~~

○○○

Je me suis réveillé vers quatre heures du matin, sans raison particulière. Je connaissais bien ce genre d'insomnie, qui me tombait dessus depuis quelques mois : je dormais bien au début de la nuit, mais je regardais ensuite le soleil se lever, incapable de me rendormir, sinon quelques minutes avant que le réveil sonne. J'avais expérimenté le phénomène assez souvent pour savoir qu'attendre sans bouger dans l'espoir de sombrer de nouveau dans le sommeil était inutile. J'ai ouvert les yeux. Le salon était dans le noir, j'ai allumé la lampe près de moi. Je suis resté là quelques minutes, immobile, à écouter les bruits de cet environnement peu familier. Le léger grondement du réfrigérateur, quelques rares voitures qui passaient dans la rue, et rien d'autre. Il y avait une pile de livres sur la table basse. Je me suis étiré le bras pour les prendre et je les ai consultés : ils appartenaient tous à Madeleine. Grande lectrice, son obsession du moment était les pirates. Les femmes pirates, plus particulièrement ; j'avais entre les mains la biographie de Cheng I Sao, la femme pirate la plus puissante de l'histoire, un récit romancé de la vie d'Anne Bonny et de celle de Mary Read, ainsi que deux romans du capitaine Charles Johnson, nom de plume du célèbre écrivain et chasseur de pirates Pierre Lucien de la Morlante : *Pavillon rose et longues bottes noires* et *Confessions d'une accro du pillage*. Madeleine avait des lectures d'adulte et avait sans doute plus lu dans sa courte vie que moi. J'ai feuilleté les livres pendant quelques minutes, puis les ai reposés sur la table, incapable de me concentrer sur quoi que ce soit. Il n'y avait pas de lumière du côté de chez Kate et Mallory. Mais bon, l'idée ne me serait pas venue d'attirer l'attention sur un spectacle de lesbiennes exhibitionnistes alors que je partageais les lieux avec une fillette, aussi dégourdie soit-elle.

Je me suis levé pour aller à la salle de bain, pas tant pour une envie pressante que pour m'occuper un peu. J'ai pris un moment pour m'observer dans le grand miroir. C'est un peu comme un lever de soleil, notre tête à quatre heures du matin : elle est là tous les jours, mais on ne la voit pas souvent. Front de plus en plus dégarni, tempes blanchissantes, rides, cernes, il n'y avait pas grand-chose à voir de plus que ce que j'avais sous les yeux en me levant à une heure normale. J'ai tiré la chasse d'eau et je suis sorti. J'ai remarqué que la porte du studio était fermée, je me suis dit qu'Alex y dormait sans doute. Puis, ne me mêlant visiblement pas de mes affaires, je me suis approché de la chambre et j'ai poussé un peu plus la porte qui était déjà entrouverte. Madeleine dormait sur le dos en laissant échapper de petits ronflements mignons. Elle était seule. Je suis retourné devant le studio et je me suis demandé quoi faire : ouvrir la porte en criant « coucou » et surprendre Alex et Ève nus, emboîté l'un dans l'autre ? Cogner avant d'ouvrir pour leur laisser le temps de se rhabiller ? Je savais bien que me remettre au lit sans intervenir était la chose la plus intelligente à faire. Nous étions épuisés sur le plan émotif, et je ne voyais pas l'utilité de tous nous plonger dans l'embarras. J'étais résolu à aller m'étendre en espérant me rendormir lorsqu'Alex a ouvert la porte, avec deux coupes à la main, dans le but fort probable d'aller les remplir dans la cuisine. Il était habillé. Pantalon gris en coton ouaté, vieux t-shirt des Ramones. Ève, assise sur une chaise de bureau en cuir, les bras entourant ses jambes repliées, avait un pantalon de pyjama et un chandail long à grosses mailles. Ils étaient tous les deux habillés, donc pas du tout comme dans les images salaces que j'avais eues à l'esprit, et aucune culpabilité ne s'affichait dans leurs regards même s'ils étaient surpris de me voir. Ils ne venaient pas de coucher ensemble et ne semblaient pas avoir l'intention de le faire. Je me sentais idiot, là, debout devant la porte du studio, avec rien d'autre que mes boxers, pas assez alerte pour me bricoler une raison crédible pour justifier ce que je fabriquais là. Ce sont eux que je croyais surprendre, et c'est moi qui avais l'air coupable. En désespoir de cause, j'ai ouvert la bouche et j'ai improvisé.

— Je me suis réveillé en entendant Madeleine qui chignait. Je pense qu'elle faisait un cauchemar.

Voilà. C'était un mensonge du début à la fin, ça jouait sur la culpabilité d'une mère qui n'avait pas entendu pleurer sa fille, mais ça me sortait d'une situation délicate. Ève est allée voir si Madeleine allait bien. Alex m'a dévisagé; il n'était pas dupe et savait très bien ce que je m'étais imaginé. Qu'il ait envie de coucher avec Ève était parfaitement normal, je comprenais puisque j'avais des images d'elle et moi qui se formaient dans ma tête de temps à autre. Mais j'ai vu dans son regard qu'il ne le ferait pas, et nous nous connaissions assez pour que je sache qu'il en aurait tout de même eu envie. Le cas semblait donc réglé. Je suis retourné dans le salon aussi dignement que possible et je leur ai foutu la paix. Contre toute attente, je me suis vite rendormi.

Je me suis réveillé doucement. Madeleine lisait en mangeant des céréales au comptoir de la cuisine. J'étais fatigué, mais j'avais les idées claires: je ne me reposerais jamais en restant ici, avec Alex.

J'ai pris quelques jours pour visiter la Tate Modern, le Musée d'histoire naturelle, le British Museum et les principaux parcs, et je me suis trouvé une nouvelle destination. Ce congé me coûtait plus cher que prévu, mais, avec ma santé en jeu, ce n'était pas le moment d'être économe.

Je suis parti en même temps qu'Ève et Madeleine, qui retournaient à Paris dans leur tourmente affective. Ève considérait que les quelques jours passés à Londres pour réfléchir avant de retrouver Daniel lui avaient été bénéfiques. L'avenir était incertain, mais elle voulait éviter de prendre des décisions importantes à la hâte. Pour ma part, j'espérais avoir enfin choisi l'endroit qu'il me fallait.

5.
BARCELONE

Voilà. J'avais tâtonné beaucoup, j'avais perdu du temps à m'épivarder ailleurs, mais j'avais enfin trouvé ce dont j'avais besoin. Barcelone en solo, sans Daniel, sans Alex. La solitude, mais au milieu de l'action. Le chalet avait été une mauvaise idée, pas seulement pour les événements étranges qui s'y étaient produits, mais parce que je n'avais pas beaucoup de distractions à part regarder mes rides dans le miroir ou m'inquiéter des bruits environnants. Et Londres ne m'avait pas bien servi non plus. L'idée d'aller me faire voir ailleurs s'est vite imposée comme une évidence. Alex avait un deuil à vivre et il était instable : il voulait parfois sortir pour fêter toute la nuit mais, lorsque je me laissais influencer et que j'acceptais de le suivre, le temps de me préparer, je le retrouvais prostré dans sa chambre, couché sur le dos, un livre fermé dans une main, occupé à fixer le plafond. Et plus moyen de le faire bouger.

Lorsque je lui ai confié mon envie de partir, il n'a pas eu d'autre choix que de me donner raison : nous avions tous les deux besoin de solitude et de repos. Et Barcelone était une ville que je rêvais de revoir depuis longtemps.

Ma chambre était parfaite, juste assez grande, avec une cuisinette qui m'évitait de prendre tous mes repas au restaurant. Sur mon balcon du premier étage, je déjeunais en observant les passants de l'avenue Portal de l'Àngel qui s'en allaient travailler. C'étaient ensuite les touristes ébouriffés qui déambulaient, à la recherche d'une laverie automatique ou d'un endroit où boire leur premier café.

Il me suffisait de descendre quelques marches pour me retrouver dans l'agitation du quartier gothique. J'avais besoin de sortir de moi, de me distraire, de me laisser bercer par l'accent local pour mieux me dépayser. Je pouvais me fondre dans la foule et rester des heures sans parler à personne, mais sans jamais m'ennuyer.

La ville n'avait pas beaucoup changé depuis ma dernière visite. Dès que je m'éloignais de La Rambla, avec ses touristes et ses attrape-touristes, je constatais que c'étaient encore les jeunes qui dominaient Barcelone. Ils étaient partout, sur toutes les terrasses et dans tous les restaurants, ils fumaient et buvaient, parlaient fort, se promenaient à moto sans casque et passaient d'un petit groupe à un autre comme si tout le monde se connaissait. L'époque où j'étais ce fêtard insouciant m'a paru lointaine. D'autres m'avaient remplacé et, même si je les enviais un peu, j'acceptais ma condition d'adulte au foie gras avec une sérénité que je n'avais pas à vingt ans. J'ai parfois l'impression que tout ce que je faisais avant d'avoir une famille était dénué de sens.

C'est en arrivant à Barcelone que j'avais décidé d'enfin mettre en pratique les conseils de mon médecin : je ne consommais plus d'alcool, je mangeais moins, je buvais beaucoup d'eau et je faisais chaque jour de longues marches. Il m'avait dit que si j'étais discipliné je verrais vite les résultats, et c'était vrai. Déjà, mon moral était meilleur, je sentais que j'avais perdu un peu de poids et j'avais un regain d'énergie. Mon éventuel retour au travail me semblait être une chose envisageable.

Comme des millions de quadragénaires avant moi, je découvrais les vertus d'être en santé. Si la tendance se maintenait, j'allais bientôt me mettre à jogger, à manger du tofu en souriant et à bannir le gluten de mon alimentation.

Mais ça n'arriverait pas. Je n'avais tout de même pas l'intention de devenir un modèle à suivre. Me dégraisser le foie et réussir à rentrer au travail avec enthousiasme me suffirait. Malgré tout, je m'étais bricolé une série d'exercices que j'effectuais chaque matin et j'avais recommencé le rituel du rasage que j'avais négligé depuis le début de mon congé. Avec mes nouveaux vêtements, plus chics et mieux coupés que tout ce que je possédais avant, je parvenais à être présentable, pour peu que je m'en donne la peine.

Les femmes se dénudaient sans gêne, elles revêtaient des robes légères ultracourtes ou des shorts en jean qui leur couvraient tout juste les fesses, soucieuses de profiter du soleil. Je devais faire un effort pour ne pas marcher dans les rues avec la bouche grande ouverte et les sourcils en accents circonflexes. Ma libido criait famine dès que je sortais de l'hôtel.

Dans un café, en feuilletant la section culture des journaux à la recherche d'activités, j'étais tombé sur l'annonce d'un vernissage de Yuji Karasu à la galerie NuA, qui avait lieu dans deux semaines et qui était ouverte au public. La toile dans l'appartement d'Alex avait piqué ma curiosité et j'étais ravi de pouvoir rencontrer l'artiste, à défaut de pouvoir m'offrir un de ses tableaux.

Le jour du vernissage, avant de me rendre à la galerie, j'ai consulté la page Wikipédia dédiée à Yuji Karasu pour connaître un peu mieux son œuvre et aussi pour savoir à quoi il ressemblait afin de féliciter la bonne personne. Il avait une vie plutôt tourmentée : un divorce, qui l'avait poussé à quitter Montréal pour s'installer à Berlin. Sa fille était morte en bas âge et son ex-femme s'était suicidée peu après. Sans surprise, la noirceur de sa vie se répercutait dans son œuvre. Il peignait d'immenses toiles monochromes où, au premier coup d'œil, on ne voyait rien. Ce n'est qu'en se tenant sous un angle ou un autre qu'on finissait par voir des formes émerger de la peinture. Des silhouettes. Des fantômes de femmes et d'enfants et, parfois, entre deux de ces personnages, en plein centre de la toile, un vide, une absence, tout aussi dramatique que le reste.

J'étais d'avance. Pour éviter d'arriver le premier, je me suis trouvé un bar tout près de la galerie et je me suis installé à la terrasse. J'ai demandé un thé glacé au serveur, en français et en anglais, mais il n'a pas saisi ce que je voulais. J'ignorais comment le dire en espagnol ou en catalan.

— *Frio tea ? Sí ? No ?*

Après une conversation confuse et décousue, je me suis rabattu sur une eau Perrier. Barcelone est une ville festive qui se prête mal à un jeûne d'alcool, mais je tenais bon. J'ai bu mon eau à grandes gorgées en espérant m'étourdir un peu avec les bulles.

Je voyais le trottoir devant la galerie se remplir de gens chics, jeunes et branchés. J'avais eu la bonne idée d'enfiler une des cravates étroites que m'avait fait acheter Alex. Les deux grandes portes étaient ouvertes et, d'où j'étais, j'entendais de la musique électronique qui réchauffait l'ambiance, probablement un autre de ces groupes en vogue dont j'ignorais l'existence. J'ai terminé mon verre d'eau, je me suis frayé un chemin parmi les fumeurs, les vapoteurs et les poseurs, et je suis entré.

Je suis passé d'une toile à l'autre, sans me presser, en refusant les coupes de vin blanc et rouge que des serveurs me tendaient à tout moment en découvrant que j'avais les mains vides. Ils ont fini par comprendre que je ne boirais rien. Les toiles étaient imposantes, fidèles au style habituel de Karasu, quoique dans des couleurs différentes de ce que j'avais vu sur Internet. Il avait délaissé le noir charbon et le rouge sang pour aller dans des tons de bleu. Des bleu marine très foncés, des bleu-gris presque noirs, rien de très joyeux, mais ça me paraissait déjà un peu plus lumineux.

Son agent, un grand blond très mince, guidait Yuji Karasu d'un petit groupe à un autre en le tenant par le coude. Il souhaitait le présenter à tout le monde, alors que l'artiste semblait avoir envie d'être ailleurs. Tout de même, lorsque je l'ai croisé, son sourire de gratitude était sincère et sa poignée de main solide. Il a vite reconnu l'accent québécois et m'a confié s'ennuyer de Montréal. Du Montréal d'avant la tragédie, a-t-il pris soin de préciser, sans donner plus de détails. J'imagine que pas mal tous les gens présents connaissaient son histoire. Il m'a remercié d'être là et son agent l'a tiré vers deux jeunes femmes qui trépignaient d'impatience dans mon angle mort depuis un moment. Elles bredouillaient en cherchant leur souffle et en replaçant leurs coiffures et leurs vêtements, survoltées comme si elles avaient affaire à une *rock star* qui allait choisir avec laquelle des deux il passerait la nuit. La force tranquille de Karasu lui donnait un certain charme empreint de mystère, mais quelque chose me disait qu'il avait mis la sexualité de côté. Peut-être que je me trompais, mais j'avais l'impression que l'optimisme de ces deux filles était vain.

Une main dans une poche de mon pantalon, je sirotais un verre d'eau pétillante qu'une serveuse perspicace m'avait offert. Je m'étais inventé une pose nonchalante qui me semblait plus ou moins réussie. Je ne connaissais personne et ça me rendait mal à l'aise ; quelqu'un m'observant depuis quelques minutes aurait sans doute conclu que j'étais un pique-assiette venu à l'exposition pour les petites bouchées. Par moments, je m'approchais d'un groupe, très doucement, l'air de rien, espérant qu'on m'accueille avec cette cordialité typique des vernissages, où nul ne se souvient tout à fait de qui est qui et reste donc poli et ouvert, en attendant que le nom de la personne qui lui sourit lui revienne à la mémoire ou, le cas échéant, qu'il se la fasse présenter par quelqu'un d'autre. Je glandais un peu et je m'éloignais discrètement si les gens discutaient en espagnol ou en catalan. J'aurais été capable de suivre le gros de la conversation, me présenter, et puis plus rien. Je n'ai jamais eu le don des langues et, à force de ne jamais m'exercer, mon espagnol de base était entremêlé d'italien, d'anglais et de mime.

J'avais fait le tour deux fois, j'avais félicité l'artiste, je ne connaissais personne et je ne profitais même pas du vin gratuit : je n'avais plus vraiment de raison de m'éterniser ici. J'étais au fond de la galerie, près des toilettes, coincé derrière un petit groupe qu'il m'a fallu contourner en m'excusant. Des Français. Voyant que je parlais leur langue, un barbu sympathique d'une trentaine d'années m'a salué et m'a demandé d'où je venais. Nous avons discuté un moment, j'ai serré quelques mains et je me préparais à leur souhaiter une bonne soirée et à retourner à l'hôtel lorsqu'une femme a émergé de la foule et s'est avancée vers eux. Vers nous. Vers moi. Elle a hoché la tête d'un air satisfait, avec sur le visage l'expression de quelqu'un qui cherchait ses amis et qui vient de les retrouver. Les Français l'ont accueillie avec de grandes bises sur les joues et j'ai reconnu l'accent québécois dès qu'elle s'est mise à parler. Je n'avais pas perdu mes repères au point d'être soulagé en croisant une Québécoise, le dépaysement linguistique de la Catalogne me convenait tout à fait, aussi n'ai-je pas très bien compris pourquoi mon estomac s'est noué en la voyant. Elle était presque aussi grande que moi, et sa robe d'été dévoilait ses épaules, délicatement bronzées. Son cou, long et mince, donnait tout de suite envie d'y poser les lèvres pour humer ses cheveux bruns, rassemblés dans un chignon haut sur sa tête, fait à la hâte. Un peu dépeignée, les sourcils en broussaille, vêtue d'une robe toute simple et pas vraiment moulante, elle semblait être venue ici sans se soucier d'impressionner les gens et, rien que par cette attitude, cette confiance apparente, elle se démarquait de la foule. Son sourire était franc, alors que tout le monde autour souriait mécaniquement pour éviter de froisser un contact potentiel. Elle n'était pas là pour étendre son réseau, elle ne cherchait à épater personne. Elle ne portait aucun maquillage et, pourtant, ses lèvres pulpeuses étaient d'un rouge carmin complètement obsédant.

À la seconde où je l'ai vue, j'ai su que cette femme me causerait des ennuis.

Mon ventre a gargouillé de façon étrange et m'a rappelé que j'existais et que j'étais là, immobile, à regarder une femme beaucoup trop intensément. J'ai choisi la seule option raisonnable qu'un homme en couple a dans ce genre de situation : la fuite. Je me suis réfugié aux toilettes, le souffle coupé. Pris d'un vertige, je me suis appuyé au comptoir des lavabos pour tenter de comprendre ce qui m'arrivait. J'avais déjà vu de jolies femmes avant, que je sache. Il y en avait partout dans la salle, partout dans les rues de Barcelone, et même Kate et Mallory, les voisines d'Alex, ne m'avaient pas causé autant d'émoi alors qu'elles s'offraient en spectacle vêtues de lingerie fine ou pas vêtues du tout. J'ai observé mon air hébété dans le miroir sans trop savoir depuis combien de temps j'étais là. Je voulais fuir par une fenêtre étroite qui donnait sur la ruelle, sans un regard en arrière et, en même temps, je voulais retourner dans la galerie. Il fallait que j'y retourne. Je n'avais vu cette femme que quelques secondes, mais, déjà, elle me manquait. Son absence me coupait le souffle. L'idée qu'elle puisse déjà être partie et que je ne la revoie jamais m'était insoutenable. Lui parler était un projet saugrenu : je me sentais incapable d'entamer une conversation avec quelqu'un qui me mettait dans un tel état. J'avais chaud rien que d'y penser.

Je me suis aspergé le visage d'eau fraîche pour sortir de ma torpeur. Il n'y avait rien pour me sécher, alors j'ai déroulé un mètre de papier hygiénique pour m'éponger. Il m'a fallu quelques minutes pour retirer tous les morceaux de papier qui s'étaient collés à mon visage. Je me suis inspecté dans le miroir afin de m'assurer que j'étais encore présentable. Je l'ignorais. Mon cerveau ne fonctionnait plus convenablement, le stress brouillait les connexions, la grande brune m'engourdissait l'esprit. L'instinct m'envoyait des messages contradictoires : fuis, reste, va la retrouver, parle-lui, roule-toi en boule sous les lavabos et ne bouge plus, danse, vis, meurs, chante. Je suis sorti des toilettes confus et désorienté. J'ai fait quelques pas vers la première toile à ma portée et je me suis perdu dans sa contemplation. Ça aurait pu être une affiche « Interdit de fumer » que je ne l'aurais pas remarqué.

Des serveurs passaient avec de petites bouchées sur des plateaux, mais j'avais la mâchoire trop crispée pour avaler quoi que ce soit. J'ai senti quelqu'un, sur ma droite, qui s'approchait en m'observant.

— Allo ! Je t'ai vu tantôt avec mes amis, t'as disparu avant qu'on ait le temps de se présenter !

La chance que j'ai, c'est que les émotions fortes me donnent un air inexpressif. Son regard était plongé dans le mien et je m'y suis abandonné, j'aurais cru que ça m'aurait fait exploser le crâne à cause du stress, mais c'était le contraire qui se produisait, ses yeux bruns pétillants avaient sur moi un effet apaisant. J'ai laissé tomber toutes mes défenses et j'ai serré la main qu'elle me tendait. Une grande main chaude un peu rugueuse, une main d'artiste, une main que je ne voulais plus lâcher.

— Allo ! J'étais aux toilettes.

C'est sorti sans que j'y puisse quoi que ce soit. Première image qu'elle aura de moi : assis tout seul en train de chier. J'aurais aimé rectifier, préciser que je n'avais fait que regarder dans le vide, mais elle aurait pu croire que j'étais constipé ; bref, rien de ce que j'aurais pu ajouter n'aurait amélioré la situation.

— Un Québécois !
— Eh oui ! Je suis démasqué ! Nicolas.
— Frédérique.
— Allo, Frédérique !

J'abusais du point d'exclamation, mais je trouvais miraculeux que ma bouche, complètement sèche, puisse produire un son. Nos mains étaient encore imbriquées l'une dans l'autre, et nous avons mis fin à cette étreinte doucement, presque à regret, ses doigts glissant sur les miens avant de se retirer. Frédérique m'a posé quelques questions, véritablement intéressée par qui j'étais et d'où je venais, et sa curiosité candide était charmante. Sa proximité ne m'intimidait plus du tout, je me sentais prêt à répondre à toutes ses questions, même si nous devions y passer la nuit. Au fil de la conversation, j'ai appris qu'elle habitait à Cadaqués, un village côtier au nord de Barcelone que j'avais visité il y a longtemps, là où le peintre Salvador Dalí avait vécu une partie de sa vie. Elle y était depuis deux ans et venait d'y ouvrir une boutique de souvenirs où elle vendait les bijoux qu'elle fabriquait. Elle m'a montré le bracelet qu'elle avait au poignet et ça m'a rassuré : il était simple et moderne. J'aurais été déçu qu'elle n'ait pas de talent, mais je me doutais bien qu'elle en avait. La curiosité et l'intelligence dans son regard ne trompaient pas.

Elle ne semblait pas pressée de retrouver ses amis et j'ai préféré ne pas lui en faire la remarque. Je ne voulais plus quitter cette bulle d'intimité douce et tranquille qui nous enveloppait et qui cantonnait les gens autour de nous dans des rôles de figurants. Frédérique s'est collée contre moi pour laisser passer un serveur portant un plateau chargé de verres et j'ai pu humer le parfum d'agrumes de ses cheveux frais lavés. Je me suis vu un instant approcher mes lèvres des siennes, et peut-être a-t-elle senti mon trouble, il y a eu un moment de silence où nous nous sommes contentés de sourire sans chercher à le combler. Elle a posé sa main sur mon bras, sans raison apparente, alors qu'un serveur remplissait sa coupe de vin blanc, et j'aurais voulu qu'elle ne me lâche jamais. Comme si c'était la chose la plus naturelle au monde, j'ai posé ma main sur la sienne. Nous avons fait quelques remarques sur les gens les plus bizarres de notre entourage immédiat en pouffant de rire à tout moment. Le moindre de ses sourires me donnait chaud.

Ses amis nous ont rejoints et le barbu m'a lancé un sourire entendu, comme s'il savait ce que je vivais, comme s'il l'avait vécu lui aussi. Frédérique dégageait une aura particulière, chaque personne qui portait son attention sur elle, homme ou femme, changeait d'expression; elle faisait naître une lueur joyeuse dans le regard des gens.

Une fille du groupe a déclaré d'un ton dramatique qu'elle allait mourir si elle ne mangeait pas dans la demiheure. Je n'avais pas encore envisagé la possibilité d'être séparé de Frédérique. Ça me semblait difficile à vivre.

— Tu nous accompagnes?

J'étais perdu dans mes pensées – Frédérique, moi, île déserte, nus sous les cocotiers –, il a fallu que s'installe un silence autour de moi, dans l'attente d'une réponse, pour que je comprenne que la question de la fille affamée m'était adressée. Et je ne savais pas quoi répondre. Le choix sensé était la fuite et l'oubli. Le choix tentant était de les suivre, d'approfondir cette relation, de développer des sentiments et de me faire du mal. Cette rencontre ne pouvait que se terminer dans les larmes et l'idée s'imposait à mon esprit même si elle ne me plaisait pas: plus vite nous nous séparerions, moins ce serait douloureux. Je connaissais cette femme depuis moins d'une heure et déjà je vivais la perspective de ne plus jamais la revoir comme un deuil. Je ne me reconnaissais plus. Mon dernier coup de foudre datait de mon adolescence et n'avait pas été aussi fulgurant. Mes quelques relations amoureuses avaient débuté comme on allume un feu, avec lenteur, à faire sans cesse de petits ajustements pour que ça s'embrase, pour qu'il n'y ait pas que quelques flammes avant que tout s'éteigne. Avec elle, il me semblait que nous pourrions nous prendre la main, là, maintenant, ne plus jamais nous quitter et vivre heureux jusqu'à la fin des temps, comme dans les contes débiles avec lesquels on souille le cerveau des enfants.

Il n'y avait pas de bonne réponse à la question. Il n'y en avait que des mauvaises. J'ai choisi la plus prudente et je me suis inventé un souper avec des amis : on m'attendait, j'étais un peu en retard, déjà, et mon rendez-vous était plutôt loin d'ici. La déception s'est affichée sur le visage de Frédérique ; ça n'a pas duré plus d'une seconde, mais j'étais certain de ce que j'y voyais. Contrairement à ses amis, elle ne croyait pas un mot de mon histoire, mais elle comprenait ma décision.

Nous avions des millions de choses à nous dire, mais la fin proche nous rendait confus et décousus. Nous avons échangé quelques banalités : elle retournait à Cadaqués le lendemain, je retournais au Québec dans une semaine ou deux, ni elle ni moi ne savions comment terminer tout ça. Nous sommes sortis de la galerie NuA résignés, sans dire un mot. J'ai eu des bises enthousiastes de tous ses amis et, comme s'ils se doutaient que nous avions besoin d'un peu de temps rien qu'à nous, ils ont attendu Frédérique en se tenant un peu à l'écart. Je n'avais pas rêvé la réciprocité de cette attirance; après deux baisers sur les joues, nous nous sommes serrés dans les bras en fermant les yeux, en savourant le moment, sachant que la séparation nous ferait mal.

C'est lorsque Frédérique a disparu de mon champ de vision en tournant au coin de la rue que ma petite voix intérieure s'est finalement fait entendre. *Tu fais quoi, là? C'est quoi, le plan? T'oublies pas que t'as une vie à Blainville, hein? Une femme, deux enfants et tout.* Non, je ne l'oubliais pas. Je n'avais pas de plan. Je n'allais rien faire. Rien d'autre que me remémorer ces quelques moments de bonheur passés avec elle et les chérir jusqu'à ma mort.

Il m'a fallu moins d'une minute avant d'être complètement désemparé. Mon premier réflexe aurait été de me mettre à courir pour les rejoindre, mais je savais bien qu'arriver essoufflé et en sueur devant le petit groupe me vaudrait une réputation de désespéré, voire de maniaque. J'ai empoigné solidement un poteau et je m'y suis accroché comme pour m'empêcher d'y aller. J'ai respiré lentement, profondément, en comptant jusqu'à dix. J'ignorais où ils allaient manger et j'ai réussi à me convaincre qu'il était trop tard maintenant pour espérer les retrouver. J'ai marché dans la direction opposée, l'air absent, au hasard des rues. Je me félicitais pour ma sagesse, je regrettais mon choix, je souriais d'un air résigné, je grimaçais d'un air ulcéré, je passais d'un état à un autre en l'espace de quelques secondes. Je regardais par terre lorsque je rencontrais des passants pour éviter de les effrayer. J'ai buté contre une poubelle et j'ai failli m'étaler de tout mon long; je me suis rattrapé de justesse en m'agrippant à une clôture.

Il m'a fallu une bonne heure, le temps de comprendre où j'étais et de revenir à l'hôtel à pied, pour retrouver mon calme. Cette longue marche m'avait aéré l'esprit, je me sentais beaucoup mieux. J'ai mangé un sandwich dans un café avant de rentrer et j'ai rêvassé sur mon balcon en observant les passants, avec comme projet de m'affaler ensuite sur le sofa pour regarder des merdes à la télé jusqu'à ce que le sommeil me gagne. Je me suis demandé ce qui avait poussé une femme de Montréal à s'installer à Cadaqués. J'ai vite éliminé quelques hypothèses pour arriver à une déduction simple: Frédérique avait rencontré un beau grand Catalan et avait tout quitté pour lui. Un amour si fort qu'elle avait laissé sa famille et ses amis derrière pour vivre une vie de bohème et, un peu lassée de toutes ces journées d'oisiveté, elle s'était mise à fabriquer des bijoux, qui lui avaient rapporté suffisamment d'argent pour qu'elle puisse ouvrir sa propre boutique. Elle était heureuse, amoureuse, et habitait un petit village face à la mer Méditerranée. L'enthousiasme qu'elle avait exprimé envers moi était sans doute le même qu'elle avait envers la vie et les gens en général. Ce trait de personnalité faisait d'elle un être charmant, mais ne faisait pas de moi quelqu'un de différent des autres. Je lui avais prêté des intentions. J'avais fabulé. Elle était contente de pouvoir parler en français avec quelqu'un du Québec après des mois à parler catalan et c'était tout. Ça m'a rassuré, en un sens: elle ne serait pas là, chez elle, debout à la fenêtre, à se morfondre et à soupirer en espérant que je la retrouve. Je n'avais aucune raison de lui rendre visite. Ça avait été une rencontre mémorable, j'avais décidé de ne pas m'emporter en ayant la sagesse de décliner l'invitation à souper, cette histoire s'arrêtait donc là. Tout ça était très clair dans ma tête : mon envie de la revoir s'estomperait d'ici quelques jours, je ferais la connaissance d'autres personnes sympathiques, Frédérique resterait un beau souvenir que je rapporterais de voyage. Un souvenir parmi tant d'autres. Rien de plus. Non, je n'irais pas à Cadaqués. Ce serait absurde. Je n'avais rien à faire là. Voilà tout. Fin de l'histoire. On passe à autre chose. Hop.

6.
CADAQUÉS

J'avais pourtant réussi à résister pendant quelques jours. Je m'étais trouvé bon. Mes journées se déroulaient à merveille, soleil, temps doux, je profitais de Barcelone, de ses restos et de ses musées, je prenais de longues marches pour m'imprégner de l'ambiance particulière de la ville, j'arrivais même à ne plus me perdre en tournant en rond dans le quartier gothique tellement je l'avais arpenté dans tous les sens. Mais Frédérique était comme un virus envahissant. Barcelone sans elle ne me semblait plus du tout adéquate. Son visage investissait mes pensées, j'entendais des échos de sa voix, je n'étais à l'abri nulle part : la moindre brunette qui lui ressemblait un tant soit peu la ramenait à mon souvenir. Peut-être allais-je bientôt me procurer une plume d'oie et du papier de luxe pour lui écrire des poèmes. J'étais pathétique.

Comme on écoute une chanson pour qu'elle cesse de nous occuper l'esprit, j'ai cru bon de me rendre à Cadaqués pour aller saluer Frédérique, la voir se demander ce que je foutais là, vivre un léger malaise, repartir en vitesse et enfin pouvoir mettre cette obsession derrière moi.

Un matin, très tôt, sur un coup de tête, j'ai donc bourré ma valise à la hâte, j'ai payé mes nuitées d'hôtel et je me suis acheté un billet d'autocar direction Cadaqués. Un trajet de plus de deux heures dont une partie se déroulait sur une route étroite à flanc de montagne, qui avait failli me faire regretter mon idée. Je me retenais de pousser des cris à chaque virage alors que les résidents de l'endroit, habitués à emprunter ce trajet, somnolaient en attendant leur arrêt.

Pour le même prix que ma chambre à Barcelone, j'avais trouvé un petit appartement de trois pièces avec une cuisine, une salle de bain avec puits de lumière et une terrasse avec vue sur la Méditerranée. En pleine saison touristique, ça tenait presque du miracle.

Malgré ma hâte de la revoir, je ne m'étais pas précipité dans la boutique de souvenirs de Frédérique dès ma sortie de l'autocar. Rien que d'être dans le même village qu'elle m'apportait un certain apaisement, je savais qu'elle était là, quelque part, tout près. Et puis j'ignorais où était la boutique. Je n'avais pas pensé à en demander le nom à Frédérique et, puisqu'elle était ouverte depuis peu, je supposais qu'elle n'était répertoriée nulle part. Le premier jour, j'ai pris mon temps. J'ai étiré mon dîner à la terrasse d'un café et j'ai arpenté quelques rues, au hasard, sans méthode particulière. Je suis donc repassé plusieurs fois au même endroit, sans retrouver sa trace, mais sans m'inquiéter non plus; elle ne pouvait pas être bien loin.

Le deuxième jour, debout de bon matin, j'ai ramassé un caillou sur ma terrasse et je cherchais où pouvait bien se cacher cette saleté de coq qui nuisait à ma santé mentale. Il refusait de se montrer, je suis donc retourné au lit en emportant mon ordinateur. Je doutais d'être capable de me rendormir, alors aussi bien perdre mon temps sur le Web. Ma messagerie instantanée était ouverte et un clignotement indiquait que quelqu'un venait de m'écrire. C'était Marie-Soleil. Elle me demandait où j'étais exactement et comment j'allais. C'était la première fois qu'elle m'écrivait. Après un moment d'hésitation, je lui ai répondu le plus sommairement possible. J'allais bien. J'étais à Cadaqués. Je lui ai précisé que c'était un village au nord de Barcelone, avant qu'elle me pose la question. « Moi aussi, ça va, merci ! » Je ne le lui avais pas demandé. « Je me sens chaude, ce soir ! » J'ai réalisé que s'il était six heures ici, il était minuit chez elle, un soir de semaine. J'aurais cru qu'elle était du genre à se coucher à vingt et une heures trente, après une tisane à la camomille et un bain chaud. J'ai relu plusieurs fois ce qu'elle venait de m'écrire, pour m'assurer que je n'avais pas rêvé, d'abord, ensuite pour voir si ce n'était pas une phrase innocente que j'interprétais mal. « Je me sens chaude, ce soir ! » Je ne voyais pas ce que ça aurait pu vouloir dire d'autre.

Et je ne savais pas ce que je pouvais lui répondre. Élégant, lui offrant une façon simple de mettre cette phrase derrière nous et de tuer le malaise, j'ai détourné ses insinuations en lui conseillant mon truc habituel pour les soirs d'alcool: deux Advil, deux verres d'eau. Elle m'a envoyé un « Lol » et un « Tu sais très bien ce que je veux dire ». J'ai tenté à nouveau de clore le sujet en lui écrivant qu'elle n'avait qu'à aller se coucher et que Jean-Sébastien s'occuperait sûrement d'elle. Elle était au lit, m'a-t-elle répondu, mais Jean-Sébastien était chez des amis et rentrerait tard, et sans doute trop ivre ou trop fatigué pour baiser. Elle était seule et nue, a-t-elle senti le besoin de préciser.

J'ai pris un moment pour visualiser la scène. Mine de rien, l'éducatrice en garderie avait réussi à m'émoustiller. Je lui ai souhaité une bonne nuit en m'imaginant naïvement que ce serait la fin de la discussion. Elle a été plus claire. « Pour que je passe une bonne nuit, je pense qu'un orgasme m'aiderait. » On ne pourra m'accuser de ne pas avoir résisté: « Peut-être qu'un livre endormant aura le même effet. T'as déjà lu Paul Auster ? » Sa réponse est arrivée deux secondes après: « Je voudrais ta queue dans ma bouche, là, tout de suite. » J'avais les doigts au-dessus du clavier, à me demander quoi répondre pour éviter de l'encourager. « Je te ferais bander de quelques coups de langue en te caressant les couilles et je te glisserais bien dur au fond de ma gorge. » Tenter de freiner son élan me semblait de plus en plus impossible. Elle m'écrivait probablement d'une seule main en se caressant le sexe de l'autre.

J'aurais pu lui dire pour la raisonner que Martine ne verrait pas tout ça d'un bon œil, mais, bon, elle paraissait terriblement excitée, et était probablement soûle. J'hésitais à lui gâcher son plaisir. Je n'avais jamais eu à me demander à quel point c'était mal de correspondre avec quelqu'un qui rêve d'engouffrer mon pénis, puisque ça ne m'était jamais arrivé. D'ailleurs, il y avait là un léger flou dans les règles établies en couple, et cette technologie n'avait jamais été intégrée à notre liste de choses permises ou interdites. Draguer, ça, nous pouvions. Aller jusqu'à embrasser avec la langue était à éviter. Échange de correspondance érotique non préméditée: pas clair. « T'es là ? Si t'es pas bavard, j'espère au moins que tu t'occupes de ta bite. » J'ai trouvé l'idée plutôt bonne. Je me masturbais parfois en pensant à elle – elle dans un de ses shorts courts à taille basse, plus particulièrement – et j'ai toujours considéré que ce qu'on fait en pensée n'est pas condamnable. Alors j'ai descendu mes boxers pour me sortir la queue, déjà en érection. Tant qu'à rester là à ne rien faire. Je me suis même laissé aller à lui répondre. « C'est ce que je fais. » Ça a semblé l'encourager. « J'aimerais ça te regarder. Et que tu me regardes. Et puis je te rejoindrais, je m'assoirais sur toi et je glisserais ta bite au fond de ma chatte en approchant mes seins de ton visage pour que tu puisses les lécher. Tu m'excites, mon salaud. » Et pourtant, je ne faisais rien. Presque rien. « Ensuite, je vais serrer mes lèvres autour de ton gland et te branler en te regardant dans les yeux jusqu'à ce que tu jouisses sur ma langue. » « Mmmm, c'est bon », me suis-je contenté d'écrire, formulation plutôt neutre compte tenu de mon degré d'excitation. « Je vais agripper tes fesses et te laisser baiser ma bouche. » Ses messages mettaient plus de temps à arriver, elle s'occupait peut-être d'elle à deux mains. Après quelques messages un peu décousus, sans majuscules ni signes de ponctuation, que je recevais à intervalles réguliers, elle y a été d'un « tu vas me faire jouir, mon cochon ». Je ne croyais pas y être pour grand-chose, mais je ne me suis pas obstiné avec elle. J'ai même répondu un « J'aimerais t'entendre gémir », au point où j'en étais. Et c'était la vérité. J'aurais bien aimé voir et entendre ce qui se passait vraiment de son côté. Elle a joui – je n'avais d'autre choix que de me fier à son témoignage –, et je l'ai suivie de peu. Après m'être essuyé les doigts avec une poignée de mouchoirs en papier, je lui ai transmis l'information, ce qui a semblé la rendre heureuse. « Yessss ! Je savais bien que je te ferais gicler, un jour ! »

Ce n'est qu'à ce moment, avec un peu de recul, alors que mon pénis retrouvait sa taille au repos, que j'ai réalisé que ce que je venais de faire était probablement mal. Je venais de confier à une amie de ma femme qu'elle m'avait fait jouir. Ça dépassait probablement les limites floues établies dans mon couple. Et rien ne me disait que Martine n'était pas là, avec Marie-Soleil, devant une bouteille de vin blanc entamée, à vouloir me faire une blague, toutes deux surprises de voir que je n'avais pas résisté longtemps et jusqu'où j'étais allé. Je les imaginais bien, soûles, à pouffer de rire et puis à déchanter en constatant que j'étais un détraqué sexuel.

Ça m'a fait un peu peur.

Mais, en y réfléchissant calmement, je ne croyais pas vraiment que Martine aurait été à l'aise de regarder son amie m'écrire des messages aussi explicites, même pour s'amuser. Ça m'a rassuré. « Merci, Nicolas ! Je vais bien dormir, maintenant, en pensant à ton sperme qui me coule au fond de la gorge et à l'odeur de ma chatte sur ta queue mouillée… xxx » Je lui ai souhaité une bonne nuit, je l'ai traitée de cochonne – elle a approuvé –, j'ai fermé l'ordinateur et je me suis levé. Je n'avais même pas remarqué que le coq s'était tu.

Je venais de vivre un moment étrange, quelque part dans les zones floues de l'infidélité. Avec une amie de Martine. C'était plutôt une mauvaise idée. J'aurais dû fermer l'ordinateur dès que son premier message m'était parvenu, faire semblant que je n'y étais pas, aller voir ailleurs si j'y étais. Mais non. Une femme en manque de sexe me contacte, je résiste un peu pour la forme et, hop, je me sors la queue et j'embarque dans son délire. Ce n'était pas l'orgasme le plus glorieux de mon existence. Et, maintenant, je me demandais si c'était vraiment avec Marie-Soleil que j'avais correspondu ; même si je connaissais son penchant pour ce qui se cachait dans mon pantalon, je l'entendais rarement parler d'autre chose que d'enfants, de garderie et de vomi. Avec l'anonymat qu'implique ce genre de conversation, j'avais peut-être échangé avec son mari, ses enfants ou sa grand-mère. La peur est revenue. Le mieux, ce serait de lui en parler la prochaine fois que je la verrais, afin de m'assurer que c'était bien avec elle que j'avais correspondu, pour éliminer le malaise et mettre ce léger incident derrière nous. D'un autre côté, il y avait quelque chose de si abstrait dans tout ça que j'aurais pu facilement me convaincre que ce n'était pas arrivé, que ce n'était qu'un fantasme que je m'étais imaginé au réveil, encore à moitié endormi, pour accompagner une branlette matinale.

J'ai filé sous la douche en tentant de ne plus y penser et puis j'ai déjeuné sur la terrasse. Un peu avant midi, après avoir paressé au soleil, je suis parti à la recherche de celle qui m'avait mené ici. Une autre mauvaise idée, sans doute.

○○○

Plutôt que d'errer comme je l'avais fait jusque-là, j'ai décidé d'être méthodique et d'amorcer mes recherches dans les rues qui partent de la place principale, là où la statue de Salvador Dalí tourne le dos à la mer, coincée entre deux cafés touristiques installés sur la plage. Je suis allé dans la direction où elle semblait regarder. Je n'ai pas eu à marcher plus de deux minutes avant de la trouver : c'était une petite boutique sur un coin de rue dont l'entrée, légèrement en retrait, permettait de laisser des présentoirs de cartes postales à l'extérieur, mais à l'abri de la pluie. J'ai tout de suite su que c'était là. Pincement au cœur, papillons dans le ventre, jambes molles, j'étais tellement certain d'y être que j'ai dû faire une pause à quelques pas de la porte afin de me rappeler comment respirer normalement.

Comme si elle avait senti ma présence, Frédérique est sortie de la boutique à ce moment-là, sans autre raison apparente que m'accueillir en souriant. Elle avait à peine l'air surpris de me voir. Elle savait que je viendrais. Rien dans son regard ne laissait supposer qu'elle cherchait qui j'étais, se rappelant vaguement m'avoir vu quelque part, mais sans se souvenir de l'endroit ni du contexte. Elle m'a souri comme on sourit à quelqu'un qu'on connaît depuis longtemps. Et elle était encore plus belle que dans mon souvenir. Malgré l'émoi qu'elle me causait, je crois bien que j'affichais une mine détendue. C'était l'avantage de m'être masturbé le matin. Ça m'évitait de me jeter à ses pieds en ronronnant de bonheur. Nous nous sommes fait la bise en nous disant des « allo » enjoués et j'ai pris le temps de respirer l'odeur de ses cheveux avant de revenir à une distance moins périlleuse. Elle s'apprêtait à fermer la boutique quelques minutes pour aller se chercher un café, alors je l'ai aidée à rentrer ses présentoirs de cartes postales et je l'ai accompagnée.

Le restaurant était tout près et, comme on est en droit de s'y attendre avec une femme aussi charismatique dans un si petit village, tout le monde la connaissait et est venu la saluer. Elle m'a donc présenté à tout le monde et j'ai serré la main au chef, au serveur, et puis j'ai embrassé trois grands-mères qui ne comprenaient pas trop qui j'étais, mais semblaient ravies de me voir. Avant de repartir, elle m'a suggéré de revenir y goûter le macaroni au fromage lorsque je me serais lassé du poisson grillé accompagné d'une louche de riz et d'une demi-tomate tiédasse au parmesan qu'on servait partout ailleurs. Je me suis imaginé y manger en compagnie des trois grands-mères et, même si elles étaient pimpantes et chaleureuses et tout, j'ai confié à Frédérique que j'y mangerais volontiers, mais avec elle. C'était sans doute encore plus idiot que ce que j'avais fait le matin avec

Marie-Soleil, mais je n'en étais plus à une bêtise près. Afin d'éviter que tout ça dégénère, je lui ai dit qu'elle pourrait en profiter pour me présenter son copain. Un chaperon pourrait m'être utile pour m'empêcher d'avoir des gestes regrettables, mais non, le copain n'était pas en ville et ne reviendrait pas avant quelques jours, et, oui, elle a accepté mon invitation. Elle ne se rappelait pas m'avoir dit qu'elle avait quelqu'un dans sa vie, mais je lui ai confié ma théorie et j'étais tombé dans le mille: elle était venue s'établir ici après avoir rencontré un beau Catalan. C'était bon pour moi de savoir qu'elle n'était pas célibataire. Ça tuait tous les possibles, ça me donnait la nausée, mais c'était pour le mieux. Ça m'éviterait de mal interpréter une phrase ou un geste et de m'élancer langue première en direction de sa bouche. D'autant plus que, moi aussi, ne fallait-il pas l'oublier, j'étais en couple.

Nous avons bu nos cafés assis sur un muret devant sa boutique. Les touristes étaient dans les restaurants près de la plage à déguster du poisson grillé accompagné d'une louche de riz et d'une demi-tomate tiédasse au parmesan, alors nous étions tranquilles. On ne voyait que des habitants du village et des chiens errants qui, paradoxalement, n'avaient pas l'air d'errer du tout, mais semblaient trotter avec un but bien précis en tête.

Nous passions d'un sujet à un autre avec une aisance naturelle, et les silences qui se faisaient parfois dans la conversation n'avaient rien d'embarrassant. Nous aurions pu rester toute la journée assis là, côte à côte, son genou gauche touchant pudiquement mon genou droit, mais elle avait du travail. Je suis rentré dans la boutique avec elle pour voir ses bijoux et je suis reparti avec un bracelet pour Martine et quelques cartes postales à envoyer aux enfants. Était-ce étrange de rapporter à Martine un souvenir fabriqué par une femme pour qui je pourrais tout abandonner si elle était disponible et que je ne me retenais pas ? Sans doute. C'était à Frédérique que je penserais chaque fois qu'elle le porterait.

Une autre de mes mauvaises idées.

Je me suis rendu à la plage pour mettre de l'ordre dans mes idées en jetant des cailloux à la mer, le regard fixé sur l'horizon. Je me suis trouvé un coin éloigné où il n'y avait personne et je me suis assis sur le sable. Plus j'y pensais, plus la situation était simple : j'aimais encore Martine, Frédérique aimait son copain, personne n'allait quitter personne et, dans quelques jours, lorsque je reprendrais l'avion pour retrouver ma famille, tout allait revenir à la normale. Il me suffisait de réfréner mes ardeurs et de me contenter d'apprécier cette rencontre amicale, sans espérer plus, pour pouvoir rentrer chez moi sans honte et sans secret lourd à porter. Voilà tout. Je suis rentré à l'appartement. J'ai pris une douche et je me suis installé sur la terrasse pour piquer un somme. J'ai fait ce que je tentais de faire depuis des semaines : je me suis reposé.

J'avais des craintes, je savais que c'était une situation périlleuse, mais ça ne m'a pas empêché de ressortir de l'appartement pour aller souper avec Frédérique. Et de passer une soirée agréable comme je n'en avais pas connu depuis longtemps. Frédérique était rieuse et enjouée, et Sam, le propriétaire du restaurant, a balayé d'un haussement d'épaules mon abstinence d'alcool et nous a fait goûter aux meilleurs vins de la région. J'aurais gâché son plaisir à tenter de résister, alors j'ai remis une fois de plus ma résolution à plus tard. Nous avons mangé le macaroni au fromage, qui était délicieux, en plus de goûter à tout ce qui figurait au menu. Nous sommes sortis de là très tard, soûls, le ventre plein, avec Sam qui nous chantait un air d'opéra d'une puissante voix de ténor en terminant son verre de je ne sais plus quel alcool maison. Quelques rues plus loin, nous n'entendions plus que le léger clapotis des vagues sur la plage. On aurait dit qu'il n'y avait plus que Frédérique et moi dans les rues de Cadaqués. Je l'ai raccompagnée chez elle. Elle se mordait les lèvres, je poussais de longs soupirs, nous savions tous les deux de quoi nous avions envie, mais nous luttions, et la lutte était difficile. Ivres comme nous l'étions, excités et désinhibés, sans témoins, la situation aurait pu rapidement dégénérer. Sans doute que la maîtrise de l'un aidait l'autre à garder le contrôle, et c'est sur de chastes baisers sur les joues – quoiqu'un peu insistants et très près des lèvres – que nous nous sommes laissés. J'ai préféré ne pas savoir si elle avait fait exprès de soulever légèrement une cuisse pour l'appuyer sur ma queue au moment où nous nous sommes embrassés.

J'avais les joues en feu sur le chemin du retour et je me mordillais les lèvres en pensant aux siennes. Mon désir pour Frédérique était un mal que je ressentais physiquement dans le moindre de mes muscles. N'eût été mon amour-propre qui me reliait encore au monde des humains, j'aurais hurlé à la lune en arrachant mes vêtements. L'animal en moi qui s'astreignait à rester tranquille en présence de Frédérique avait faim.

Après un détour par la plage pour me calmer les nerfs en me laissant bercer par le bruit du ressac, je suis rentré à l'appartement et je me suis affalé sur le lit comme une brique.

Sans surprise, ma nuit a été peuplée de rêves érotiques. Il y avait elle, moi, peu de vêtements et beaucoup d'action.

○○○

Nicolas.

Je voulais t'écrire pour parler de notre couple et je n'y arrivais pas. Cet éloignement m'a aidée à faire le point, à prendre du temps pour moi et à réfléchir à certaines choses, mais je n'ai pas réussi à mettre mes idées suffisamment au clair pour que ça puisse s'écrire de façon compréhensible. J'avais remis ce projet à plus tard, mais, là, les choses ont dérapé… Je ne ferai pas trente-six détours dans cette courte lettre pour t'avouer ce qui m'a poussé à l'écrire : je t'ai trompé. Je suis allée trop loin alors que je croyais être en contrôle. Ce qui n'était qu'un simple flirt sans conséquence a pris une tournure inattendue. Je ne voulais pas ça. Et je ne t'écris pas pour me soulager la conscience, mais parce que je crois que c'est une conséquence de cette relation où on ne se parle pas vraiment. Je sais que j'ai l'air de chercher à me délester d'une partie du blâme, mais ce n'est pas mon but. Tu n'as pas à te sentir coupable. C'est de ma faute. D'ailleurs, je me suis mal exprimée. Ce n'est pas parce qu'on a de la difficulté à communiquer que j'ai couché avec quelqu'un d'autre. Ce serait malhonnête de jeter le blâme sur nous, c'est à moi d'assumer mon geste. Je me sens affreusement coupable et je m'excuse. Je n'ai pas envie de mener une double vie et je préfère en parler. Mais j'ai peur des conséquences. Je ne veux pas qu'on se quitte. Je ne veux pas briser notre famille à cause d'une gaffe. ~~*Ce n'est pas comme si j'allais le refaire. Je n'ai pas envie de le refaire. Je*~~

○○○

Nous nous sommes vus tous les jours. Parfois je l'attendais devant la boutique, parfois elle venait me chercher à l'appartement pour m'inviter à aller manger ou à explorer les environs, peu importe. J'aurais dit oui même si elle avait proposé que nous nous jetions dans un volcan en éruption ou que nous nous inscrivions à des cours prénataux.

Malgré mon obsession pour Frédérique, je prenais tout de même souvent des nouvelles de Daniel et d'Alex. Daniel habitait encore avec Ève et Madeleine, mais il s'était installé dans son bureau, où il passait le plus clair de son temps libre et dormait sur une causeuse trop petite pour lui. Il y avait beaucoup de choses à reconstruire dans son couple et Daniel ne savait toujours pas si c'était possible. Alex s'abîmait dans le travail, il acceptait plus de contrats qu'il pouvait en faire pour éviter de trop penser à Sandrine. Cette rupture l'inspirait et le rendait créatif, alors il en profitait. Lorsqu'ils me demandaient de mes nouvelles, je mentais. Je disais que je passais mes journées à ne rien faire ou à peu près, marchant sur la plage ou lisant à la terrasse d'un café, je me reposais. Je préférais éviter les malaises; leur apprendre l'existence de Frédérique les aurait obligés à mentir par omission s'ils venaient à parler avec Martine. Je trouvais injuste de les mettre dans ce genre de situation. Et il n'y a que les secrets qu'on ne dévoile à personne qui restent vraiment secrets. Les autres finissent toujours par se frayer un chemin vers la lumière. Et toujours plus vite qu'on pense, et par l'entremise d'une personne qu'on croyait fiable.

Ce n'est pas non plus comme si j'avais eu des histoires émoustillantes ou scabreuses à leur raconter. Cette relation demeurait platonique, sans que se touchent les langues ni se déboutonnent les pantalons. Nos conjoints auraient sûrement trouvé notre comportement répréhensible à plein d'égards, mais nous avions la décence de garder nos mains sur les tables plutôt qu'en dessous pendant les repas. Et s'il arrivait que nous nous frôlions en marchant, sans le faire exprès, le bon sens nous forçait à vite reprendre nos distances. Nous savions que, si nous avions le malheur de céder à notre envie de nous jeter dans les bras l'un de l'autre, ce n'est qu'à grands coups de pelle qu'on réussirait à nous séparer. Sa cuisse qui frottait entre mes jambes, ma main qui lui touchait le creux du dos et descendait sur une fesse, tout ça ne durait qu'un instant, au moment où nous nous séparions pour retourner chacun chez soi. Pour aller dormir, sagement, plutôt que de nous abandonner à nos désirs lubriques d'échanges de fluides et de pénétrations dans toutes les positions imaginées par l'homme depuis la nuit des temps.

Nous ne baisions pas du tout, mais, en revanche, nous parlions beaucoup. Après ces quelques jours, je savais tout sur elle, et elle savait tout sur moi. Elle connaissait le nom de mes enfants, de ma femme et de mes trois sœurs, pouvait facilement résumer la nature de mon travail et les raisons qui m'avaient poussé à m'autoriser ce congé, et savait même comment s'y prendre pour détruire un scooter. Je lui avais aussi parlé d'Alex et de Daniel. Leurs histoires d'amour déglinguées ne l'avaient pas rassurée, elle savait que la trentaine était houleuse et compliquée, mais elle avait grand espoir que tout soit plus simple dans la quarantaine. Je n'avais pas pu lui mentir : nous avions appris peu de chose de nos erreurs et continuions à errer dans le noir, à y aller à tâtons. Chaque relation passée ne nous servait jamais pour la suivante, tout était toujours nouveau et différent, il fallait donc oublier nos repères et recommencer du début chaque fois. Elle m'avait dit qu'au moins je n'avais pas ce problème, avec ma relation de couple qui durait depuis seize ans. Nous nous étions regardés dans les yeux et nous avions fait le même sourire amer en même temps.

Je m'étais laissé aller à lui raconter tout ce que j'avais vécu depuis le début de mon congé, me permettant même de lui révéler les détails que je préférais cacher à Martine au sujet de Lou et de Marie-Soleil. C'est un bien curieux phénomène : il est plus facile de se confier à quelqu'un qu'on connaît depuis peu qu'à la personne qui partage notre vie. Ça porte moins à conséquence.

Frédérique ne perdait pas son temps. Elle avait à peine trente et un ans, mais, déjà, en plus de fabriquer des bijoux et de gérer sa propre boutique, elle s'apprêtait à terminer l'écriture de son premier roman. « Je cherchais la fin, je pense que je l'ai trouvée », m'a-t-elle confié, énigmatique, avec un grand sourire espiègle, refusant de m'en dire plus. « Tu verras quand ce sera publié. » Elle était optimiste et je n'étais pas inquiet pour elle. J'avais de la difficulté à croire qu'une femme intelligente et allumée dans son genre pouvait écrire quelque chose de mauvais. Je savais que j'aurais un jour ce livre entre les mains.

En attendant, les jours passaient et mes enfants s'ennuyaient de moi. Ils avaient bien tenté de le cacher le plus longtemps possible, pour me prouver qu'ils étaient des préados impassibles et détachés, mais ils n'avaient plus envie de faire semblant. Et moi aussi, je m'ennuyais d'eux. Les conversations à distance par l'entremise d'une caméra n'y changeaient rien.

L'amoureux de Frédérique revenait à Cadaqués dans deux jours et je préférais être parti à ce moment. Je n'avais plus grand-chose à faire ici, à part m'enfoncer davantage dans cette tempête émotive dont je ne sortirais pas indemne. Il était trop tard, le mal était fait, mais il n'y avait qu'une fin possible : Frédérique et moi allions retourner à nos vies respectives. C'était un amour comme ceux que vivent les adolescents en vacances loin de chez eux, intense parce que la fin de l'histoire a une date précise, celle du retour. Une amourette d'été.

Malgré ce que je vivais, j'avais aussi hâte de retrouver Martine. Ce n'est que maintenant que je m'en rendais compte, mais de petits changements subtils s'opéraient en elle pendant mon absence, elle n'était plus tout à fait la même. Elle était plus secrète, plus indépendante. Elle affichait son style rockabilly de façon plus assumée et s'était fait faire de nouveaux tatouages. À l'arrière de son bras gauche, en haut du coude, en plus des cerises, elle avait une *pin up* des années cinquante, rétro mais modernisée : tatouages, lunettes et cheveux blonds presque blancs coupés court. En haut du coude droit, les deux cerises étaient surmontées du visage en noir et blanc d'une femme maquillée en Santa Muerte, une figure religieuse mexicaine. Sur les conseils de sa tatoueuse, elle s'était inscrite dans une ligue de *roller derby*, ce qui avait vite contribué à élargir son réseau d'amis, qu'elle trouvait limité aux mêmes vieilles personnes qu'elle connaissait depuis des années. Elle portait le numéro trente-trois et son nom de joueuse était Dirty Martini. J'en avais manqué un bout. Toutes ces nouveautés me donnaient l'impression d'être parti depuis un an. Elle ne me l'aurait pas dit carrément, mais ça se voyait que mon absence lui faisait du bien. J'étais mieux de revenir avant qu'elle change d'adresse, de vie et ne se souvienne plus de mon nom.

Une dont je n'avais pas de nouvelles et c'était très bien comme ça : Marie-Soleil. J'étais rassuré qu'elle n'ait pas pris l'habitude de m'écrire dès qu'elle voulait assouvir ses pulsions sexuelles. Et je me tenais prêt à la virer de bord si elle tentait une récidive. Cette fois, je ne me laisserais pas entraîner par l'excitation du moment; j'étais déjà bien assez occupé à faire des conneries avec une autre qu'elle.

○○○

Nicolas.

Je crois que le moment est venu que je te parle de Jane. Ma tatoueuse. ~~*Je t'écris cette lettre pour. Je t'écris cette lettre parce que. Je crois que, dans un couple il est bon de tout se dire. Je crois qu'il faut tout se dire. J'imagine que c'est mieux de*~~

○○○

Même si Frédérique et moi préférions ne pas en parler, mon départ imminent baignait nos conversations d'une gravité nouvelle. Nous ne savions pas si nous pourrions garder le contact sans mettre nos couples en danger, nous n'avions plus d'autre choix que de savourer chaque minute comme si c'était la dernière. J'avais de la difficulté à croire qu'il était possible que je ne la revoie jamais. Il y avait une forme de déni dans notre bonne humeur, même si nos sourires ne cachaient pas tout à fait la tristesse. Nous avons bu jusque très tard dans un de ses bars préférés, situé sur la plage, qui se vidait de ses touristes avant la tombée de la nuit. L'ivresse nous aidait à nous détendre, à faire dans la légèreté, à garder enfouies les émotions qui auraient pu gâcher le moment. À l'heure de la fermeture, je l'ai raccompagnée une dernière fois chez elle. Je prenais l'avion tôt le lendemain, mais nous n'étions pas encore prêts à nous séparer. Elle m'a pris par la main et je l'ai suivie dans l'escalier. Elle a ouvert la porte et m'a invité à entrer. J'avais les jambes molles alors que Frédérique semblait en pleine forme, à fourrager dans un tiroir à la recherche d'un limonadier pour déboucher une bouteille de rouge qu'elle venait de faire apparaître. Elle m'a rejoint sur le sofa.

La possibilité. On l'espère et lorsqu'elle arrive on ne sait plus quoi en faire. Il aurait pu se passer bien des choses dans son appartement ce soir-là. Nous étions ivres, nous étions seuls, et chaque pièce du mobilier m'inspirait une position sexuelle intéressante. Mais nous avons tenu bon, nous nous sommes accrochés à nos principes et nous sommes demeurés habillés. Nous en avions parlé sans censure, ni elle ni moi ne voulions vivre avec une trahison qui nous aurait suivis le reste de nos jours. Ce que j'avais fait avec Lou il y a longtemps n'avait été que physique, sans aucune portée émotive. Ici, c'était autre chose. Nous étions en danger. La tension était palpable dans le moindre de nos regards. Nos doigts se touchaient lorsque nous nous échangions la bouteille, et ce n'est que sur le goulot que nos salives s'entremêlaient. À cette heure et avec ce degré d'ivresse, les coupes de vin, trop fragiles pour nos gestes maladroits, étaient inutiles. La conversation s'est tue au moment où Frédérique a bu la dernière gorgée. Nous avions fait tout ce que nous pouvions faire, nous nous étions dit tout ce que nous pouvions nous dire, il ne restait entre nous que les gestes qu'il ne fallait pas faire, les mots qu'il ne fallait pas dire. La soirée était terminée. Je me suis levé pour partir et nous nous sommes étreints une dernière fois, prenant le temps de nous respirer, chacun le nez dans le cou de l'autre, pour garder un souvenir.

Notre dernier regard, les yeux dans les yeux, en était un de désespoir. Il disait « Ça y est, c'est fini ? », « Je ne peux pas croire que nous ne nous reverrons plus » et « Je ne sais pas quoi faire ». Il n'y avait plus rien à faire. Rien d'autre que redescendre cet escalier, retourner à l'appartement et dormir quelques heures avant de boucler mes bagages et de grimper dans l'autocar qui me ramènerait à Barcelone pour mon vol de retour. Nous allions devoir vivre avec ce désir à jamais inassouvi. Réintégrer nos vies sans avoir résolu cette tension qui nous donnait le vertige et la fièvre. Je me suis approché de la porte, machinalement, comme un zombie. J'allais tourner la poignée lorsque j'ai entendu des pas dehors, tout près, comme si quelqu'un montait l'escalier. J'ai regardé Frédérique pour lui demander si c'était bien chez elle ou s'il y avait une porte qui menait chez un voisin sur le même palier, je ne me rappelais plus comment c'était fait. Je n'ai pas eu à lui poser la question. Dans son regard pétrifié, j'ai vu qu'il n'y avait qu'une explication : c'était son copain qui revenait plus tôt que prévu.

Avoir eu quelques minutes pour nous préparer, nous aurions pu évaluer les différentes options. « Dis-moi, Frédérique, tu préfères que nous l'accueillions ensemble, chacun assis chastement à son bout du sofa, et que tu me présentes comme un ami, un ami louche qui abuse un peu de ton hospitalité en restant jusque très tard dans la nuit, mais un ami quand même, ou tu préfères que je me rue vers une sortie de secours ? » L'expression de son visage démontrait avec éloquence que Frédérique ne voulait pas vivre cette embarrassante situation. J'ai donc choisi l'option qui semblait la meilleure pour tout le monde : la panique et la fuite. Ivre et avec de moins en moins de temps pour réfléchir, je me suis réfugié dans la première pièce à ma portée. Je n'avais pas visité en arrivant et j'ignorais s'il y avait une autre issue que la porte d'entrée et où elle pourrait bien se trouver. Elle n'était pas ici. J'étais dans la salle de bain et l'étroite fenêtre, si je décidais de fuir de ce côté, m'obligerait à faire une chute d'un étage. Tant qu'à être découvert, je préférais l'être ici, assis sur le rebord du bain, calme et repentant, plutôt que dans la ruelle, hurlant de douleur, les deux jambes cassées.

J'étais l'amant dans le placard. Un acteur dans une mauvaise pièce de théâtre d'été. J'entendais la conversation entre Frédérique et son copain, et je dégrisais à toute allure. De ce que je comprenais, avec mon catalan de base, elle lui reprochait d'avoir conduit en pleine nuit sur une route dangereuse plutôt que d'avoir dormi à Barcelone. Il était déçu que sa surprise n'ait pas eu l'effet escompté. J'ai réalisé à ce moment qu'elle le questionnait pour me laisser le temps de fuir mais je restais là, assis à ne rien faire, alors que le gars viendrait sans doute uriner dès qu'il se serait extirpé de cette conversation. Dans mon cas, après plus de deux heures de route, c'est ce que ma vessie m'oblige à faire avant toute chose. Et si

Frédérique tentait de créer diversion, c'était sûrement parce que la fuite était possible. Je me suis penché par la fenêtre pour inspecter tout ça en détail. Il y avait un tuyau en métal qui passait à l'horizontale tout le long du bâtiment, à environ un mètre sous la fenêtre. Et, à ma gauche, il y avait un balcon. J'ai grimpé sur le lavabo et j'ai sorti les jambes aussi vite que j'ai pu. Dès que mes pieds ont touché au tuyau, je me suis glissé hors de la salle de bain et je me suis accroché au cadre de la fenêtre en m'assurant de ne pas faire claquer le volet. J'ai pris une grande respiration. Première étape réussie : j'étais dehors. Le copain de Frédérique pouvait aller pisser sans mauvaise surprise. Le balcon, maintenant sur ma droite, me semblait un peu éloigné. J'ai espéré très fort que la peur me donnerait des ailes. Je ne voulais plus me faire surprendre. Un homme assis dans le salon avec votre copine très tard dans la nuit, il peut y avoir plusieurs explications possibles. Un homme suspendu à la fenêtre de votre salle de bain, c'est sans équivoque. Je me suis donc élancé avec toute la grâce que peuvent avoir les amants en état d'ébriété et je me suis agrippé au garde-fou en m'y cognant les deux genoux. J'ai failli glisser, mais j'ai résisté, les deux mains solidement accrochées, et j'ai réussi à retenir le hurlement de douleur qui voulait sortir. Je suis resté un moment dans cette fâcheuse position, le temps d'arrêter de voir des étoiles, et j'ai grimpé par-dessus la balustrade pour atterrir sur le balcon. À demi accroupi, j'ai slalomé entre la table, les chaises et tout le fatras, et c'est avec soulagement que j'ai découvert un petit escalier en pierre qui donnait sur la rue. Je n'aurais donc pas à sauter.

Je suis retourné à mon appartement en boitant, sale et peu glorieux, et en chemin je n'ai croisé qu'un ivrogne dans les rues désertes. Il a hoché la tête en me voyant, comme si nous étions confrères dans la débauche. Ce n'était pas complètement faux, mis à part qu'il semblait accepter sa condition avec philosophie alors que j'étais honteux d'avoir dû fuir comme un voleur. Il est resté digne même quand il s'est penché pour se vomir sur les chaussures. Je me suis éloigné juste à temps.

Sur le pas de la porte, j'ai hésité. J'avais quatre émotions en même temps. Mille. J'avais envie d'oublier Frédérique. J'avais envie de retourner chez elle et de la convaincre de laisser son beau Catalan. Je voulais lui dire que nous étions faits l'un pour l'autre. Que tout abandonner pour être ensemble était un risque, mais que ça en vaudrait la peine. Je voulais être rassurant. Mais je n'en savais rien. Je ne voulais pas perdre ce que j'avais bâti. J'étais capable d'assumer mon geste et de vivre avec ce que j'aurais démoli. Martine survivrait. Les enfants s'adapteraient. L'humain survit, l'humain s'adapte. Je voulais faire comme si Frédérique n'existait pas. Je ne pouvais pas. Je ne voulais pas. Je l'aimais. J'aimais ma femme. J'aimais mes enfants. J'aimais tout le monde. Deux chauves baraqués, bruyants et éméchés, approchaient en s'échangeant une bouteille d'alcool dans laquelle ils buvaient de grandes gorgées chacun leur tour. Ils riaient pour rien en se donnant des claques dans le dos. Eux, je ne les aimais pas beaucoup. J'ai eu un peu peur qu'ils cherchent les ennuis, ils avaient des têtes de brutes épaisses, alors j'ai préféré interrompre mon délire et je suis rentré en verrouillant derrière moi. Je tenais à revenir à la maison avec toutes mes dents. Ils ont poursuivi leur chemin et le silence s'est installé dans le petit appartement.

Un silence lourd comme un point final, comme s'il était là pour marquer la fin de l'histoire.

ooo

Nicolas.

Je t'écris cette lettre parce qu'il faut que je te parle de Jane. Tu le sais, il y avait longtemps que j'avais envie d'un tatouage, mais sans trop savoir quoi ni où. Un après-midi, en faisant des courses, je suis passée devant un salon de tatouage et je me suis dit que je pourrais aller voir, qu'ils avaient sûrement des modèles qu'on pouvait consulter pour se donner des idées. La place était assez propre, pas comme les salons de tatouage louches qu'on trouve à Montréal dans la rue Ontario et qui doivent appartenir à des clubs de motards ou à des voleurs d'organes. Ici, c'était assez propre, ça ressemblait au salon d'esthétique où je me fais arracher les poils. Il y avait des cahiers posés sur une table dans la vitrine et je me suis installée pour les feuilleter. Il y en avait trois, un pour chacun des tatoueurs qui travaillent là. J'observais du coin de l'œil ce qui se passait dans le salon. Il y avait un grand punk au crâne rasé, l'air un peu épeurant, en train de tatouer une fille qui avait gros max dix-huit ans. Un autre employé, avec une moustache farfelue et de petites lunettes rondes, buvait un café en lisant une bande dessinée. Ils ne m'ont même pas regardée quand je suis entrée. J'avais dans l'idée de partir quand j'ai vu dans un des cahiers des dessins à mon goût, des trucs un peu rétro, dans le genre rockabilly. J'ai vu que c'était une fille qui les avait faits. Jane. Ça me tentait pas trop de leur parler, mais je voulais savoir quand cette Jane travaillait. Je me suis dit que je pourrais tout simplement revenir une autre fois ou aller ailleurs, tant pis, qu'ils s'étouffent avec leur accueil de marde, et je me suis levée pour m'en aller. C'est là que j'ai vu une jolie fille soulever un rideau et sortir de l'arrière-boutique. Elle avait les cheveux blonds presque blancs, courts avec un toupet qui camouflait presque ses sourcils bruns, et de grands yeux derrière des lunettes à monture noire. Elle s'est dirigée droit vers moi, comme si elle m'avait vue à travers le mur ou le rideau, ou je sais pas quoi. C'était Jane. Une francophone avec un père anglais d'Angleterre. Elle buvait ce qui ressemblait à de la limonade dans un pot Mason. Elle marchait avec un détachement et une détermination qui me troublaient, j'étais fascinée. Elle était mince mais athlétique, avec un bras tatoué au complet, le genre de fille qui doit pas se laisser piler sur les pieds. On s'est souri comme si on se connaissait déjà. Je ne sais pas trop comment l'expliquer. Il y a des gens comme ça, au premier regard on veut être leur ami. Elle m'a lancé un « allo » engageant, elle avait un livre à la main qu'elle a posé sur la table et elle a grimpé sur un tabouret en me faisant un signe pour que je revienne m'asseoir. J'ai obéi, je me suis assise à côté d'elle. Je ne voulais plus partir. Je me rappelle pas combien de temps je suis restée là. On a parlé de tout et de rien, du livre qu'elle lisait et qu'elle me conseillait, Testament, *de Vickie Gendreau. (Je suis allée acheter ses deux livres en sortant de là. C'est pas facile à suivre, c'est un genre de poésie bizarre, mais c'est bon. Mais je pense pas que t'aimerais ça. En tout cas.) On a passé son cahier en revue, elle m'a montré ses tatouages favoris, je lui ai dit que je ne savais pas trop ce que je voulais et c'est ça que les tatoueurs préfèrent, il paraît. Si tu veux les faire chier, tu arrives avec un dessin de salamandre ou de papillon que t'as trouvé sur le Web. Ou pire : avec ton nom écrit en chinois. Ils détestent ça ! Ce qu'ils aiment, c'est quand les clients font confiance à leur talent créatif. Jane, j'avais envie de lui faire confiance, de me faire tatouer par elle. Dans son pot, c'était un mélange de vodka et de limonade ; j'y ai goûté, ça m'a rendue pompette assez vite. On s'est entendues sur les cerises, en paquets de deux, sur l'arrière de mes bras en haut des coudes. Elle avait du temps, alors on s'est installées à sa chaise de travail. Elle a pu me faire les deux bras la même journée. C'était moins douloureux que je m'étais imaginé, mais quand même. Ça pinçait, surtout, mais des fois ça faisait comme un genre d'éclair pas super agréable. Mais j'étais contente, je me sentais bien, avec elle. C'était une attirance irrationnelle mais puissante, et je sentais que c'était réciproque. Je me suis pas vraiment demandé si elle était lesbienne, elle en avait pas l'air, mais de toute façon je le suis pas non plus, donc ça ne changeait rien. J'avais pas l'intention de faire quoi que ce soit. Quand elle a eu fini, elle m'a donné les conseils d'entretien pour les tatouages et elle m'a dit que je pouvais repasser quand je voulais. Je me suis demandé si c'était une formule de politesse, mais elle a précisé que c'était pas juste si je voulais me faire tatouer autre chose, que je pouvais revenir rien que pour jaser, si ça me tentait. Ça me tentait. La bonne idée aurait sûrement été de ne pas y retourner. Mais plus ça allait et plus j'avais envie de la revoir. Comme prétexte, je me suis servie de la première bonne raison qui m'est passée par la tête : je venais de finir un des livres de Vickie Gendreau et je voulais lui dire merci pour la découverte. On a jasé pas mal et puis j'ai fini par me laisser tenter par les tatouages de tête de mort et de* pin up. *J'en ai choisi une qui lui ressemblait, je m'en suis seulement rendu compte après. Elle avait pas le temps de me les faire tout de suite, et puis elle préférait me les tatouer l'un après l'autre, alors j'ai pris deux rendez-vous. Je sais pas comment elle est habituellement, mais je voyais bien qu'elle était toujours super contente de me voir débarquer. Je savais que ce serait niaiseux de me faire tatouer des pieds à la tête juste pour garder un lien. Et puis j'avais pas envie d'attendre à mon rendez-vous pour la revoir, je l'ai donc invitée à aller boire un verre. C'est là que Jane m'a parlé du* roller derby *et qu'elle a réussi à me convaincre d'aller voir une partie. Elle m'a dit que je pourrais m'inscrire si ça me tentait d'essayer. J'ai répondu que je serais sûrement trop poche, mais elle a insisté, elle est coach pour une équipe de débutantes qui passent plus de temps à piquer des fouilles qu'à patiner. Je me suis laissé convaincre, ça avait l'air trippant et ça me permettrait de la voir souvent. Dans le bar, à un moment donné, il y a eu un silence entre nous deux, un silence lourd, plein de tension sexuelle, et je me suis penchée pour l'embrasser. Et ça a vite dégénéré, je t'épargne les détails, j'imagine que t'as pas trop envie de savoir ça, tu dois déjà vouloir me tuer. Elle est lesbienne, finalement. Et moi, ben, je suis mélangée. En fait, non, je suis pas mélangée. Je suis bien avec toi, on a du bon sexe, je t'aime, je vais toujours t'aimer et ça ne remet pas du tout mon amour en question, vraiment pas, mais c'est pas pareil avec elle. On s'est fait croire un moment qu'on était amoureuses, mais, en discutant, on s'est calmé les nerfs, on a réalisé qu'au fond c'était un genre d'amitié sexuelle. Elle couche avec d'autres filles, ça me rend pas jalouse, et elle essaie pas de me m'arracher à ma vie pour que je sorte avec elle. Tout ça est très clair, c'est une expérience, quelque chose de différent que j'ai pas dans mon couple. Ça me fait du bien, j'en ai besoin, je pense. C'est bizarre, il y a un beau gars au bureau qui est tombé célibataire et qui s'est mis à m'envoyer des courriels et des textos pour n'importe quelle raison, je le trouvais sympathique au début, mais ça m'a vite tannée et je lui ai dit que c'était pas correct, que j'avais une famille et que je voulais qu'il arrête. Et c'est ce qu'il a fait. Mais avec Jane, j'ai pas pu arrêter avant que ça dégénère. Comme si au fond c'était tellement différent de ce qu'on a que ça mettait pas ma relation avec toi en péril. Je sais bien que dit de même, ça fait beaucoup de choses à digérer d'un coup. À vrai dire, je vois pas comment tu pourrais lire tout ça et trouver que ça a bien de l'allure, mon affaire, et ne pas avoir envie de me sacrer là. Peut-être qu'on a besoin d'ouvrir notre couple un peu, de vivre des choses chacun de son côté, je suis certaine que ça te ferait du bien aussi, tu dois être tanné de lécher la même chatte depuis mille ans ! Mais je sais pas trop comment on parle de ça. En relisant ce que je viens d'écrire, je vois bien que ça t'accule au pied du mur, ça sonne un peu bizarre de te proposer de sauter la clôture parce que moi je l'ai fait. Je sais pas comment tu pourrais bien prendre ça. Je suis pas certaine que c'est une bonne idée, la lettre. ~~Je commence à croire que si je. Je devrais peut-être tout simplement.~~*

7.
OCÉAN ATLANTIQUE

C'est quelque part au-dessus de l'océan, à peu près à mi-chemin entre l'appartement que je venais de quitter et la maison vers laquelle je me dirigeais, que j'ai réalisé que c'était fini, que j'étais parti, que Frédérique était douloureusement loin derrière. Il ne me restait que quelques heures pour en faire mon deuil et pour laisser toute la place à la joie de retrouver ma famille. Je ne voulais pas gâcher mon plaisir, même si je n'étais pas dans de très bonnes dispositions; la nuit avait été courte et j'avais somnolé plus que dormi. J'avais dû me lever très tôt pour boucler ma valise et prendre l'autocar vers Barcelone. J'avais fait la route dans un état second, à la fois fébrile et fatigué, et encore un peu soûl. À l'aéroport, j'avais déjeuné sans avoir faim, et l'abus de café m'avait empêché de piquer un somme en attendant l'appel d'embarquement pour le vol vers Montréal. Au décollage, j'avais les dents serrées et un sérieux mal de tête.

Je buvais beaucoup d'eau dans l'espoir que mon état s'améliore avant que nous touchions le sol. J'étais censé m'être reposé et ça ne paraissait pas du tout. La lumière me faisait plisser les yeux et, lorsque je tentais d'esquisser un sourire, pour m'assurer que j'en étais encore capable, ça me faisait mal aux joues. Afin de sombrer rapidement dans un sommeil profond, j'ai sélectionné un film de Ben Stiller sur mon écran. Je me suis endormi avant le premier gag.

8.
YUL

Cette fois, personne n'avait égaré ma valise. Elle a même été l'une des premières à se présenter sur le tapis roulant. Il m'a fallu bousculer une douzaine de voyageurs impatients qui attendaient la leur, entassés les uns sur les autres, pour la récupérer. On m'a jeté des regards noirs, comme si j'étais coupable de quelque chose, s'imaginant peut-être que j'avais soudoyé les employés responsables des valises pour avoir un traitement rapide. Tous ces gens n'étaient pas plus reposés que moi. Mais leur stress et l'écume qu'ils avaient au coin des lèvres ne m'atteignaient pas. J'avais ma valise et, déjà, boitant à cause de mes genoux endoloris, je me dirigeais vers la barrière me séparant de ma famille. Faisant une pause de leur impassibilité émotive habituelle à l'égard de leurs parents, Ariane agitait une poignée de ballons en forme d'étoiles et Zacharie tenait à bout de bras une affiche où était écrit « Papa ». C'est lorsqu'ils n'arrivent pas à contenir leur joie qu'ils sont le plus touchants et qu'ils me rappellent qu'ils ne sont encore que des enfants. Martine restait un peu à l'écart, les mains dans les poches de sa veste, et les regardait d'un œil attendri. Ariane et Zacharie m'ont sauté dans les bras, et Martine est venue se joindre à la fête. Nous parlions tous en même temps, l'un avait faim et voulait manger au restaurant, l'autre était pressée de rentrer à la maison pour voir ce que je lui rapportais comme souvenirs, une autre voulait me montrer ses tatouages et me trouvait beau dans mes nouveaux vêtements, tous s'offraient pour transporter ma valise. Je me replongeais avec bonheur dans le chaos que je connaissais bien ; ces voix et ces gestes familiers m'avaient manqué encore plus que je le croyais. Les enfants semblaient avoir grandi de cinq centimètres pendant mon absence. J'ai marché derrière eux, les yeux humides, en les regardant m'ouvrir le chemin vers la sortie. La joie des retrouvailles avec un relent de culpabilité. Ma sortie rapide par la fenêtre de chez une femme en pleine nuit ne remontait tout de même qu'à quelques heures même si, en retrouvant ma famille, cette histoire me paraissait étrangement lointaine, presque abstraite.

9.
BLAINVILLE

— Ça fait déjà deux mois que vous êtes venu me voir ?

— Eh oui. Je recommence à travailler dans une semaine.

— Ça passe trop vite, bordel. Ma femme m'a demandé d'écrire une liste de dix choses que je voudrais faire avant de mourir. Ça m'a déprimé. En la relisant, j'ai compris que j'aurais jamais le temps d'en faire la moitié avant qu'on m'enterre.

Ce bon docteur Schloss n'était pas dans sa journée la plus festive. Je ne lui ai pas demandé de détails pour éviter qu'il me plombe le moral. Suivant ses consignes, j'ai enlevé mes souliers et je suis monté sur la balance. J'ai vidé mes poches – portefeuille, petite monnaie, clés, cellulaire – pour mettre toutes les chances de mon côté. Il a déplacé les curseurs métalliques sur l'échelle graduée pour lire mon poids, puis il a grimacé. Face à notre médecin de famille, peu importe notre âge, on se sent toujours comme un enfant qui vient de se faire prendre en train de voler de la gomme au dépanneur : idiot et coupable. Il a mesuré ma tension artérielle, m'a inspecté les yeux, le fond de la gorge et les oreilles, puis est retourné à son bureau pour noter les résultats. J'ai remis mes souliers, rempli mes poches et je me suis assis sur une des chaises devant son bureau en attendant le verdict.

— Mouais. On peut pas vraiment parler d'une transformation extrême, ici, hein ? On risque pas de vous voir dans une émission à Canal Vie !

— Je me suis fait un petit programme d'entraînement. Bon, je le fais pas toujours, des fois ça me sort de la tête. Mais j'ai arrêté de boire ! Bon, pas longtemps, quelques jours, j'avoue que j'ai recommencé très vite, et puis j'ai arrêté de nouveau, et puis j'ai eu des petites rechutes, la vie étant ce qu'elle est. Mais je vais arrêter de nouveau bientôt. Promis. Sinon, heu, j'ai pas perdu un peu de poids ?

— Un kilo et quelque. Trois livres.

— Trois livres, c'est bon, ça ! Non ?

— Vu que notre poids peut fluctuer d'un kilo ou deux dans une journée, c'est pas si excitant, non.

— OK. J'ai un peu raté mon coup pour la partie physique. Mais c'est ma tête qui avait besoin d'un ménage. J'ai respiré l'air frais de la campagne, j'ai voyagé, j'ai pris du bon temps avec des amis, je me suis même acheté un chien ! De la zoothérapie ! C'est pas rien !

Il a hoché légèrement la tête pour me donner raison. C'était peu, mais c'était tout ce que j'aurais de mon médecin fumeur et obèse qui suait juste à ramasser un stylo tombé par terre. Je m'en suis donc contenté. J'avais sa bénédiction pour retourner au travail, mais il voulait que je fasse attention, un retour progressif serait préférable, et puis il souhaitait me revoir bientôt pour s'assurer que mon état allait en s'améliorant.

Annie, Marianne et Corinne couraient dans tous les sens à la boutique, il y avait des tournages de films et de séries télé comme nous n'en avions encore jamais vu au Québec. Le déplacement de nos meubles de location était un casse-tête et elles se retrouvaient souvent à conduire un camion en pleine nuit pour transporter des accessoires d'un plateau de tournage à Montréal à un autre à Tadoussac, en effectuant un détour par Saint-Élie-de-Caxton. La dernière des choses que j'allais faire, c'était leur mentionner que mon médecin me suggérait un retour progressif. N'importe laquelle des trois se serait jetée sur moi pour m'étrangler. J'évitais d'ailleurs de leur donner de mes nouvelles, pour apprécier ma dernière semaine de congé sans me sentir trop coupable.

○○○

Si ce congé ne m'avait pas transformé en quadragénaire mince avec le foie tout propre, il avait en revanche modifié ma relation avec Martine. L'éloignement nous avait fait du bien. Nous étions un couple, nous étions des parents, mais nous étions avant tout deux personnes, avec chacune ses envies et ses projets. Nous étions moins souvent ensemble, mais, plutôt que de nous rendre distants, ça nous rapprochait ; puisque nous faisions plus de choses chacun de notre côté, nous avions plus de choses à nous dire lorsque nous nous retrouvions. Martine ne tirait que des bénéfices de son inscription au *roller derby*. Son cercle d'amis s'était élargi et elle était active physiquement sans devoir s'enfermer dans un gym pour courir sur un tapis roulant en regardant dans le vide. Elle revenait souvent de ses entraînements avec les genoux égratignés et des marques de griffes sur les bras et le dos, mais ce sport lui donnait une énergie nouvelle. Avec le *roller derby* et les tatouages qu'elle s'était offerts, elle était plus en paix avec son corps. C'est au lit que cette transformation se remarquait le plus. Elle cherchait beaucoup moins les positions sexuelles flatteuses pour sa silhouette ou l'éclairage adéquat pour camoufler tel ou tel irritant de son physique et se consacrait maintenant à son plaisir. Elle savait ce qu'elle voulait, et elle savait comment le demander, sans gêne et sans avoir l'air contrôlante. D'un point de vue féministe, on pourrait dire qu'elle s'était réapproprié son corps. De mon point de vue, elle était plus cochonne. Cette nouveauté dans l'univers bien connu de notre sexualité était la bienvenue et me poussait aussi à sortir de ma zone de confort pipe-cunni-missionnaire ou branlette-cunni-levrette pour intégrer d'autres positions moins pratiques mais plus audacieuses, qui multipliaient grandement les combinaisons possibles.

Cette nouveauté dans mon couple apaisait le désir de nouveauté ailleurs. Ça m'évitait de rêvasser trop longtemps en m'inventant des scénarios lubriques avec les autres femmes que je rencontrais.

Martine et moi souhaitions continuer à profiter des avantages de l'éloignement que nous avions découverts pendant mon congé. Et, parce qu'on peut rarement improviser lorsqu'on a des enfants, nous avons planifié de prendre chacun une semaine de nos vacances en solitaire, le reste en famille. Moins de vingt-quatre heures après, elle avait son billet pour aller dans le Sud en janvier avec trois de ses amies du *roller derby*.

ooo

Un après-midi, Marie-Soleil est venue à la maison pour faire goûter à Martine une recette de scones. Elles discutaient de tout et de rien à la cuisine, en buvant du thé, en s'extasiant sans en avoir l'air sur le physique du nouveau voisin qui avait enlevé son t-shirt et courait derrière un ballon avec son fils. Je l'ai saluée et lui ai demandé de ses nouvelles, par simple politesse, en me préparant un café. C'était la première fois que je la voyais depuis le dérapage de correspondance osée à laquelle nous nous étions livrés. Elle m'a raconté quelques trucs banals sans rien laisser paraître. Elle était tout à fait comme d'habitude, ennuyeuse à mourir, passant d'une anecdote de garderie à une autre sans que mon cerveau retienne le moindre détail. Pas de langue glissant langoureusement sur ses lèvres, pas de sourire concupiscent, pas même un regard soutenu plus long que nécessaire. Je suis remonté dans le bureau avec ma tasse de café et mon scone, rassuré, en me disant que tout était revenu à la normale.

Je somnolais, allongé sur le sofa, le journal posé à mes pieds, lorsque j'ai senti du mouvement, une présence.

J'ai ouvert un œil, discrètement. Marie-Soleil, prétextant sans doute une visite à la salle de bain, était debout à côté de moi. Je ne savais pas ce qu'elle voulait et je n'étais pas certain de vouloir le savoir, alors j'ai fait semblant de dormir, me disant que si je ne bougeais pas elle s'en irait peut-être.

— T'es pas très bon acteur, Nico.

— Hein, quoi ?

J'ai ouvert un œil, puis l'autre, comme si je me réveillais. Je me suis retenu de bâiller en m'étirant, sans doute qu'il valait mieux ne pas sombrer dans les clichés. D'une façon ou d'une autre, elle ne m'a pas cru. Elle a haussé les épaules, critique concise de ma pitoyable performance.

Elle a poussé mon assiette et ma tasse, et s'est installée sur la table basse, l'entrejambe à la hauteur de mes yeux. J'aurais pu admirer sa culotte sous sa jupe courte, mais je ne voulais pas qu'elle le remarque et le prenne comme un signal pour venir s'asseoir sur mon visage ou s'offrir une autre fantaisie du même genre. Je me suis redressé afin d'être face à elle et d'écouter ce qu'elle avait à me dire sans être déconcentré.

— Je voulais m'excuser pour l'autre jour, quand je t'ai écrit pendant que t'étais en Espagne. Je pense que j'ai exagéré. J'avais envie de m'amuser un peu et t'étais à la bonne place au bon moment. Ou à la mauvaise place au mauvais moment. Ça dépend comment tu vois ça.

— Disons que je me suis laissé aller là-dedans cette fois-là, mais que ce serait mieux qu'on recommence pas.

— Je comprends. Écoute. Le mieux, pour être vraiment respectueux de nos conjoints, ce serait de s'arranger avec eux pour qu'on couche ensemble tous les quatre. Qu'est-ce que t'en penses ?

J'avais beau y réfléchir, je ne voyais rien d'excitant à imaginer Jean-Sébastien me regarder jouer du bassin pendant que je me démenais sur sa blonde, et l'idée de croiser le regard de ma femme alors que j'avais mon pénis dans la bouche d'une autre ne m'emballait pas du tout. Rien que l'image que je me faisais de Jean-Sébastien, avec son corps trop blanc et trop poilu, touchant Martine d'une façon ou d'une autre, avec sa bite ou sa langue, me donnait envie de vomir. Sûrement qu'il suait abondamment et gémissait pendant l'orgasme comme un bébé chien qui rêve. Offrir Marie-Soleil en boni était sans doute la seule façon qu'il avait trouvée de coucher avec d'autres femmes : la proposition devenait moins difficile à accepter, les femmes pouvaient alors assouvir un fantasme érotique lesbien tout en incluant leur conjoint.

— Écoute, je me vois mal dire à Martine que non seulement j'aimerais ça coucher avec d'autres personnes, mais qu'en plus ça implique une de ses amies.

— Oui, je comprends. C'est pas facile, ces discussions-là ! Des fois, j'oublie la chance que j'ai de pouvoir parler aussi ouvertement avec Jean-Seb. T'aimerais mieux qu'on couche ensemble juste nous deux ?

Je l'ai regardée dans les yeux pour voir si elle blaguait. Si oui, elle était meilleure actrice que moi. Mais elle avait l'air sérieuse.

— J'aimerais mieux qu'on couche pas ensemble, Marie. Seuls ou en groupe.

Elle m'a jeté un « ah bon » glacial et elle a croisé les bras.

— Prends-le pas mal. Je coucherais avec toi avec plaisir, t'es belle et excitante et tout, mais je veux pas m'embarquer là-dedans. Ni dans l'adultère ni dans des histoires d'ouverture du couple qui marchent à peu près jamais. Tout le monde que je connais qui a élargi les limites de son couple a fini par dépasser les nouvelles limites et c'est du pareil au même, ça fait des chicanes et des ruptures. Tant mieux pour vous si vous réussissez tous les deux à trouver votre compte là-dedans, mais je nous vois pas, Martine et moi, devenir échangistes.

Je préférais ne pas dire la vérité exacte : *Si on réussissait à avoir cette discussion et à intégrer l'échangisme dans nos pratiques sexuelles, c'est probablement pas vous qu'on appellerait pour tenter l'expérience.* Elle a accepté les compliments et s'est détendue un peu.

Autour de moi, les quadragénaires casés que la libido poussait vers la nouveauté dépensaient cette énergie sexuelle d'une façon moins destructrice et beaucoup plus créative. Les gens qu'on voit courir dans les rues, ceux qui se tortillent dans des cours de yoga chaud, ceux qui s'éreintent à courir après un volant de badminton ou une balle de tennis, la plupart cherchent simplement à rester fidèles.

J'allais peut-être me mettre à jogger.

— T'as aimé ton scone ?

— Excellent, merci !

Conrad l'avait dévoré avec enthousiasme, même la bouchée que j'avais prise et crachée par terre. Le scone est un gâteau dépouillé de sa joie. Marie-Soleil s'est levée pour aller retrouver Martine. En sortant de la pièce, elle a soulevé sa jupe pour me montrer son cul. Sa culotte rose translucide laissait voir la rondeur ferme de ses fesses. Ce n'était pas suffisant pour me convaincre de me lancer dans une grande discussion sur les vertus de l'échangisme avec Martine, mais j'admirais sa persévérance. Je me suis étendu, j'ai fermé les yeux un instant et je me suis repassé cette image pour bien me la mettre en mémoire. À défaut d'y toucher, je pouvais au moins en rêver.

J'ai étiré le bras pour prendre mon téléphone et m'assurer que je n'avais pas de courriel urgent. Au travers du *spam*, j'ai trouvé un message de Daniel, dont la vie allait bientôt changer.

> *Eh bien, voilà. C'est fini. Ève et moi, on a essayé de rester ensemble, mais tant pis. C'est sans issue. Notre relation se dégradait de jour en jour. Elle me reprochait de ne pas parler, mais je crois qu'au fond elle ne voulait même plus m'entendre. Elle se plaignait que je ne voulais jamais avouer mes torts, mais quand je tentais de m'excuser, pour un truc ou un autre, elle me disait que je jouais à la victime. On voulait sauver les meubles pour épargner Madeleine, mais il n'y a plus rien à sauver. Madeleine sera plus heureuse avec des parents séparés qu'avec des parents qui restent ensemble et*

lui font croire qu'ils s'aiment encore, qui font semblant d'être un couple, mais qui n'ont plus rien à se dire ou qui se crient après.

Je te laisse imaginer à quel point l'ambiance est pourrie. Tous les moments sont lourds, je ne sais jamais comment Ève va réagir à la moindre phrase que je dis. (En fait, oui, je sais comment elle va réagir : mal.) Elle n'a plus de patience, je n'ai plus envie de lui parler. Hier, je crois qu'on ne s'est pas dit un mot.

Elle va déménager, mais on va sans doute rester tous les deux à Paris. C'était plus logique que ce soit moi qui garde l'appart au-dessus de la librairie. Dès qu'elle part, je repeins la chambre. Son turquoise dégueulasse m'a toujours semblé être la couleur de la dépression. Une chose qui ne change pas : tu passes quand tu veux. J'espère que tu te reposes bien de ton côté.

Je lui ai écrit un long message d'encouragement, avec les pouces, sur le minuscule clavier de mon téléphone. « Je suis là si tu as besoin de quoi que ce soit, sauf si tu veux de l'aide pour peinturer », « Tu as sûrement pris la bonne décision (ou pas, mais ce n'est plus important, il est trop tard pour reculer, maintenant) », « Les couples sont toujours à quelques pas du chaos, il suffit d'un geste ou d'une parole pour que tout s'écroule » et autres phrases du même acabit, remplies d'espoir et de joie pour illuminer son cœur blessé.

J'imaginais que, venant de moi, il espérait de l'humour plus que du réconfort. Nous étions tous les deux arrivés à un âge où nous assumions nos décisions sans chercher l'approbation de notre entourage. Et si nous faisions tout autant d'erreurs que lorsque nous avions vingt ans, nous avions le réflexe de serrer les dents et d'affronter les tempêtes sans dire un mot plutôt que d'exhiber nos malheurs comme si c'étaient des œuvres d'art. Sur l'échelle du malheur, comparativement à beaucoup d'autres, nous nous en tirions assez bien.

○○○

Je ne l'aurais pas su avant de le voir : les équipes de *roller derby* sont constituées en grande majorité de lesbiennes. Impossible d'arriver avec une statistique plus précise ; je présumais que la faible minorité de celles qui n'en avaient pas l'air n'en étaient pas, mais je n'étais sûr de rien. Peut-être que Martine était la seule hétérosexuelle de son équipe.

La partie était lente, c'était une ligue de débutantes et je ne comprenais rien aux règlements. De mon point de vue, c'était surtout une chorégraphie chaotique de femmes en sueur qui tombaient en s'accrochant les unes aux autres et qui s'aidaient à se relever en riant. Ariane et Zacharie suivaient la partie, complètement fascinés, hurlant à leur mère, Dirty Martini pour l'occasion, des suggestions qui ne faisaient sans doute pas partie des gestes admis dans les règlements. « Patine dans l'autre sens ! Roule sur la madame ! Tire ses couettes ! » J'intervenais seulement lorsque leur agressivité dépassait celle à laquelle nous assistions sur la piste ovale.

L'équipe de Martine, les Sandra Boulottes, semblait avoir le dessus sur les Gouinettes Parlent Trop. Mais je pouvais me tromper. Chose certaine, il y avait un bel esprit d'équipe des deux côtés, l'une et l'autre se tapotant sans cesse une fesse au passage en guise d'encouragement. Elles s'encourageaient beaucoup. Et Dirty Martini n'était pas laissée de côté. Je me demandais à quoi ça pouvait ressembler dans les douches après les parties. Et à quoi pourrait ressembler un voyage dans le Sud de Dirty Martini en compagnie de Sylvie Brateur, de Jungle Jane et de Fifi Seins d'Acier. Lesbianisme, proximité, alcool et plage. Tous les ingrédients seraient réunis pour un dérapage potentiel digne d'un film porno. De quoi laisser facilement mon imagination s'emballer.

Je n'étais ni con ni aveugle. Et je crois bien que même con et aveugle j'aurais pu sentir cette drôle d'énergie qui passait entre Martine et Jungle Jane, l'entraîneuse de l'équipe. Les deux partageaient une complicité évidente, il suffisait souvent d'un geste ou d'un regard pour qu'elles se comprennent. D'autres que moi auraient aisément pu croire qu'elles formaient un couple.

Si on m'apprenait que Martine m'avait trompé, c'est tout de suite vers Jane qu'iraient mes soupçons. Et si c'était déjà fait ? En y pensant calmement, en restant dans la théorie plutôt que devant un fait accompli, j'aurais trouvé moins dérangeant qu'elle couche avec une femme qu'avec un homme. Ce serait une expérience nouvelle, complémentaire, au lieu d'être de la compétition. Mais, en même temps, je n'y connaissais rien. Peut-être que la plupart des homosexuelles qui se bousculaient en patins à roulettes devant moi avaient fréquenté des hommes avant de changer définitivement de camp. Peut-être que Jane était une menace. Peut-être que sa ressemblance avec la *pin up* qu'elle avait tatouée sur le bras de Martine n'était pas une coïncidence. Peut-être que je me posais trop de questions. Peut-être que je devais continuer de faire naïvement confiance à la vie, comme je l'avais toujours fait, et regarder où tout ça allait nous mener. Si un jour Martine m'annonçait qu'elle était lesbienne, ce ne seraient pas mes cris de protestation qui y changeraient grand-chose de toute façon.

J'ai applaudi en sifflant, il y avait du brouhaha ; j'ignorais si nous avions marqué un point ou si la partie était terminée, mais j'imitais les autres spectateurs en tentant de ne pas laisser paraître mes angoisses. Sourire aux lèvres, j'ai levé les deux pouces en l'air à l'intention de mes enfants qui sautaient de joie. Ariane a déclaré qu'elle voulait des « tatous » comme sa mère. Je lui ai répondu pour une millième fois qu'un tatou est un mammifère d'Amérique tropicale, que ce dont elle parlait était un tatouage en bon français et qu'il n'en était absolument pas question. Elle m'a boudé jusqu'à ce que je revienne avec trois petits sacs de chips au ketchup et des jus de raisin.

Après la partie, nous avons attendu que Martine prenne sa douche entourée de lesbiennes et s'habille dans le vestiaire entourée de lesbiennes. Sur le chemin du retour, dans l'enthousiasme qui régnait dans la voiture, j'ai réussi à me convaincre que je m'inquiétais pour rien. Ce n'est pas parce que Martine prévoyait un voyage dans le Sud avec trois de ses amies qu'elle avait nécessairement envie de lécher des chattes. Ce n'est pas parce qu'elle avait un lien complice avec Jane qu'elle était son amante. J'avais parfois des raisonnements de mononcle dont j'étais peu fier. Je m'en voulais d'avoir pu penser une chose pareille et, comme à plein d'autres occasions, dans ce couple qui en avait vu d'autres, j'ai décidé de me détendre et de cesser de m'inquiéter. Martine faisait du sport, elle rencontrait du nouveau monde, ça la rendait heureuse et je ne pouvais que me réjouir de son bonheur.

Sagesse de quadragénaire.

De retour à la maison, Ariane, Zacharie et moi avons préparé le souper pendant que Martine appliquait de la crème sur ses muscles endoloris. Je faisais tournoyer la pâte à pizza dans les airs en chantant de l'opéra dans un italien douteux. Ariane s'occupait ensuite d'étaler l'huile d'olive et la sauce avec un soin maniaque, tandis que Zacharie se chargeait des condiments et du fromage en exagérant sur le pepperoni et le bacon. Martine est descendue au sous-sol pour en revenir avec une bouteille de rouge, un Faugères qu'elle savait que j'appréciais particulièrement.

Après le repas, les enfants ont allumé un feu dans le foyer du salon sans faire trop de dégâts et sans se chamailler. Plutôt que de s'enfermer chacun dans sa chambre, ils ont veillé devant le feu avec leurs livres et leurs jeux électroniques. Un moment rare. Martine et moi avons lu sur le grand sofa pour rester avec eux jusqu'à ce qu'ils se couchent. Je suis allé dans le bureau pour vérifier mes courriels. Mes sœurs avaient bien hâte que je leur raconte mon voyage, m'écrivait Corinne, mais dans ce court message je comprenais surtout qu'elles avaient bien hâte que je reprenne enfin mon poste, le lendemain à neuf heures.

Lorsque je suis redescendu, Martine répondait à un texto, le téléphone dans une main, sa coupe vide dans l'autre. Je lui ai resservi du vin et je me suis installé près d'elle, sur le sofa, en appuyant ma tête sur son épaule. Elle regardait une émission de téléréalité quelconque pour le plaisir de trouver ça mauvais. J'aurais pu insister pour qu'elle change de chaîne, mais ça me convenait tout à fait, c'était l'équivalent télévisuel du silence et du vide, on pouvait se laisser absorber par tout ça sans penser à rien. Parfois, c'est tout ce dont j'ai besoin. Être assis là, avec Martine. Ma femme. Celle avec qui je serai jusqu'à ce que la mort nous sépare. Malgré tout ce que nous avons vécu, malgré tout ce que nous vivrons encore. Certains jugeraient sans doute durement mes choix, trouveraient que je suis frileux, que je manque d'ambition, diraient que je deviens lentement un vieux con qui préfère le confort à l'étourdissement, mais ce sont eux, les cons. J'ai deux enfants qui ne cessent de m'épater, une femme heureuse et rayonnante qui chantonne lorsqu'elle prend son bain, un drôle de chien qui ronfle en dormant et qui se réveille en sursaut lorsqu'il pète, une maison confortable, un travail que j'aime, et il n'y a rien qui m'attire au point d'être prêt à sacrifier tout ça. Ce n'est ni par paresse ni par manque de courage que je reste ici, mais parce que je sais que tout ce que j'ai, tout ce à quoi je tiens plus que tout au monde peut disparaître à tout moment. J'ai de la chance. Je suis gâté. J'en suis conscient et j'en profite pendant que c'est là.

À l'écran, un jeune homme et une jeune femme s'agitaient sur leurs chaises dans une grande salle à manger. Ils semblaient avoir développé exagérément certains muscles inutiles au détriment de leur intelligence.

— Je le sais pas, *babe*. Je le sais pus quoi faire. Je suis mélangé.

— En tout cas, Timmy, lui, y est pas mélangé. Il sait ce qu'il veut. Il me veut, moi. Pis Jean-Baptiste aussi, il me veut. Mais moi, c'est toi que je veux, moi, pas eux, toi.

— Attends, là. Tu disais pas ça la semaine passée à Cancún !

— Cancún, c'est Cancún. Je te parle de là, ici, maintenant, Boucherville. Ce qui est arrivé avec Cédérick, ça veut rien dire. Ici, toi pis moi, je sens qu'il se passe quelque chose.

— Ouin. C'est juste qu'il y a toi, mais y a Liz-Ann, aussi. Pis Jean-Baptiste c'est mon *bro*', pis je sais qu'il te veut pas à peu près. Je veux pas le trahir.

— Tu peux pas le trahir, Keaven ! Réveille ! Je l'aime même pas ! On a juste fourré dans un canot. Ça veut rien dire ! Ça compte pas, même si c'était avec pas de condom. Il m'a juste pris dans le péteux. Moi, je te parle-tu de ce que t'as fait avec Krystell la grosse vache pis Rémy le mangeux de batte dans le jacuzzi ? Ben non !

— Je suis mélangé, Misty-Jo, je suis mélangé.

— Je peux-tu faire quelque chose pour te démélanger ? J'ai vingt-quatre ans, moi. Je peux pus me permettre d'attendre.

— Je le sais ben, Misty-Jo. Je le sais ben. Mais c'est pas facile ce que je vis. Essaie de me comprendre.

Martine a déposé son téléphone, puis a glissé sa main dans la mienne pour la réchauffer. J'ai poussé un petit soupir de bonheur. En prenant mon verre, je me suis rappelé que mon médecin voulait que j'arrête de boire.

Bientôt.

Demain, peut-être.

10.
SUR LA ROUTE

Son livre, je l'ai trouvé par hasard. J'avais loué un chalet pour quelques jours, des vacances en solitaire, à la fin de l'été, rien que moi et le chien. C'était une résolution que nous avions prise, Martine et moi, et nous avions réussi à la mettre en pratique. Elle était partie dans le Sud au milieu de l'hiver avec trois de ses amies et, moi, je profitais d'une accalmie après une période de pointe à la boutique pour aller me reposer loin de tout. J'avais ralenti en voyant une animalerie, pour y acheter des croquettes et un ou deux jouets à mâcher pour Conrad. En me garant devant la librairie voisine, je me suis rappelé que je n'avais pas apporté grand-chose à lire. J'y suis donc entré et j'ai ramassé un Stephen King, un Bret Easton Ellis, un Martin Michaud, je fouinais dans la pile des nouveautés et j'ai failli manquer son livre. *L'asphyxie du jour sept*. Je l'ai pris dans mes mains uniquement parce que j'étais curieux de voir qui avait écrit un roman avec un titre aussi pompeux. Ce n'est qu'à ce moment que j'ai remarqué le nom de l'auteure. C'était elle. Frédérique. J'ai ouvert le livre au hasard.

> *Qu'est-ce qui sera si différent demain? Je ne vois pas ce que tu pourrais m'écrire qui me ferait déchanter. Je ne vois pas ce que tu pourrais me dire qui ferait que le désir s'estompe. Regardons les choses en face, Raphaëlle. Prendre le temps de réfléchir est inutile. Ça ne changera rien à ce qu'on a vécu, à ce qu'on ressent l'une pour l'autre. Si on continue, je ne pourrai plus me passer de toi. Peut-être même qu'il est déjà trop tard.*

Je l'ai mis dans ma pile et j'ai filé vers la caisse. J'ai repris la route, fébrile, pressé d'arriver au chalet, avec ce livre dans mon sac comme une présence. J'étais aussi troublé que si Frédérique était assise avec moi dans la jeep, et il m'a fallu faire demi-tour parce que j'avais oublié les croquettes et les jouets.

Le chalet était à Val-des-Monts, encore, mais loin de celui que j'avais loué au couple Louvin-Murray. Je n'avais pas du tout envie de retomber nez à nez avec la dame qui hante leur lac. Sur la route, voyant arriver le chemin désert qui menait vers chez eux, j'ai passé outre mon empressement à lire le roman de Frédérique et j'ai tourné à droite pour aller les saluer.

Fritz était dehors, chapeau de paille sur la tête, et tentait de tailler un bosquet en forme de boule. Il avait l'air dépité; pour l'instant, ça ressemblait à un octogone avec des trous. Ma visite surprise l'a remis de bonne humeur. Il m'a tendu un verre de vin blanc alors que j'étais à peine débarqué de la voiture et m'a guidé vers les chaises longues. Il m'a gentiment grondé, Michel était absent, mais il se serait débrouillé pour être là si je les avais prévenus de ma visite. Il n'était pas vraiment fâché, il était même ravi de me voir, encore plus ravi de faire la connaissance de Conrad.

Il y avait eu de nouveaux rebondissements au chalet hanté. Le propriétaire, désireux d'y passer l'été, avait fait venir Louis Morel, un chasseur de fantômes, censé être le plus efficace au Québec. J'ignorais que ce genre de spécialiste existait. Son travail consistait à déterminer si la cause des événements inexpliqués était identifiable ou non. Selon Morel, la plupart des maisons hantées n'ont qu'un problème de tuyauterie mal fixée ou une électricité déficiente. Mais même lui était parti au milieu de la nuit, impuissant et terrorisé, jetant son équipement à la hâte dans sa camionnette et refusant de dire au propriétaire ce qui était arrivé. Il n'avait eu qu'un conseil : « Mettez le feu au chalet. » C'est ce que le propriétaire avait été tenté de faire, mais le chalet était trop près des arbres pour que ce soit sans danger. Il avait plutôt embauché des démolisseurs et possédait maintenant un grand terrain vague sur lequel il n'osait plus poser le pied et que personne ne voulait acheter. La bonne nouvelle, c'est que Louvin et Murray avaient pu recommencer à louer leur chalet ; la dame qui flottait sur le lac était partie se faire voir ailleurs.

J'ai refusé le deuxième verre de blanc que Fritz m'offrait – après tout, je ne buvais plus –, et il a presque fallu que je lui arrache Conrad des mains pour pouvoir repartir. Les deux avaient rapidement développé un solide lien d'amitié. Je lui ai promis que je les inviterais bientôt, lui et Michel, à venir souper à la maison. Je pourrais leur présenter ma famille, et Fritz pourrait retrouver Conrad, son nouveau meilleur ami.

Le chalet, sur la berge d'un grand lac peu après le village, était moins beau que celui des Louvin-Murray, mais il me convenait tout à fait. Fritz m'avait invité à louer le leur quand je voulais, m'assurant que personne n'y avait rien vu de bizarre depuis la démolition de l'Icehouse, mais les mauvais souvenirs suffisaient à me couper l'envie d'y retourner. J'étais très bien ici, dans un petit chalet tout en bois, entouré d'une multitude de tissus à motifs différents qui ne s'harmonisaient pas du tout ensemble, de fleurs séchées poussiéreuses et d'assiettes décoratives créées pour les passionnés de poules et de coqs. Mon but était de lire et de me reposer, et c'est ce que j'ai fait pendant cinq jours. Je n'ai bougé du sofa ou de la chaise longue de la terrasse que pour manger, préparer du café, me débarrasser des fourmis que j'avais dans les jambes ou aller dormir. J'ai lu deux fois le roman de Frédérique. C'était l'histoire de deux amies d'enfance, Claudie et Raphaëlle, qui, arrivées à l'âge adulte, ont une vie sentimentale compliquée. Les deux croient être amoureuses l'une de l'autre, jusqu'à ce que Claudie, qui a toujours eu des doutes quant à son homosexualité, se rende compte qu'elle est plutôt attirée par les hommes, qu'elle rompe brutalement avec Raphaëlle et la délaisse.

Raphaëlle traverse toutes les étapes du deuil – du choc jusqu'à la reconstruction en passant par le déni, la colère et le retour sur soi –, et ne finit par accepter la situation que lorsqu'elle rencontre une autre femme dont elle tombe amoureuse. Elle comprend alors que sa relation avec son amie d'enfance n'était pas vraiment de l'amour, que c'était en réalité une amitié qui s'était transformée en relation charnelle au moment où les deux adolescentes avaient découvert leur sexualité.

À Cadaqués, Frédérique m'avait dit que je lui avais donné une idée pour la fin. La dernière scène : Raphaëlle, en couple depuis peu avec une femme charmante, invite Claudie à son chalet pour le week-end dans le but de lui annoncer la nouvelle. Elles boivent beaucoup, passent près de faire l'amour, mais Raphaëlle repousse les avances de Claudie et lui explique qu'elle est enfin rendue ailleurs. Elle raconte les détails de sa nouvelle vie avec sa copine, leur sexualité débridée, leurs plans pour le futur et, surtout, ce lien indéfectible qui les unit. Claudie réalise que, même si elle est attirée sexuellement par les hommes, elle n'en a aimé aucun et qu'elle aime encore Raphaëlle. Elle comprend qu'elle a tout gâché, qu'elle a perdu le grand amour de sa vie et qu'elle ne pourra plus jamais le récupérer. Jalouse et désemparée, Claudie étouffe Raphaëlle dans son sommeil, lui bouffe la chatte une dernière fois, met le feu au chalet et périt dans les flammes en poussant de grands hurlements.

Ça m'a laissé perplexe.

Je ne savais pas ce que j'avais pu inspirer à Frédérique là-dedans. J'étais peut-être la nouvelle blonde de

Raphaëlle, celle qui fait connaître à Raphaëlle son premier véritable amour. Mais c'était peut-être m'accorder trop d'importance. Il était plus probable que je n'avais inspiré à Frédérique que le lieu où périssaient les deux filles, le chalet qui ressemblait étonnamment à celui que j'avais loué, que je lui avais décrit en détail en lui racontant ma rencontre avec un fantôme. Ça me semblait plus probable. J'avais déjà rencontré Patrick Senécal à la boutique, venu acheter de vieilles affiches de films pour sa nouvelle maison, et il m'avait confié que la plupart des gens de son entourage sont fiers de se reconnaître dans ses livres alors que ce n'est pas du tout d'eux qu'il parle. Mais il préfère les laisser dans l'ignorance pour éviter de les décevoir.

La liste des remerciements, je l'ai lue dix fois. Mon prénom y était. « Merci à Nicolas pour l'inspiration. » C'était vague, mais je refusais de croire que ça pouvait être un autre Nicolas que moi.

Il y avait une courte biographie de Frédérique sur la couverture arrière du livre. Ça disait qu'après avoir vécu trois ans à Barcelone elle était retournée vivre à Montréal. Il y avait une histoire derrière ça, mais il me manquait certains détails pour la connaître : avait-elle quitté son chum, en réalisant qu'elle m'avait aimé plus que lui, ou étaient-ils encore ensemble ? J'ai lu la biographie cent fois. Je l'ai lue mille fois. Mais elle refusait de révéler ses secrets. Je ne saurais probablement jamais la vérité.

ooo

Ces quelques jours de vacances, bien que vite passés, m'avaient fait du bien. Aucun fantôme n'était venu m'embêter. Mes sœurs n'étaient pas débordées, ma famille survivait à mon absence, aucun des courriels qui s'accumulaient n'exigeait de réponse immédiate. Dans un court message, Daniel me racontait qu'il avait enfin repeint sa chambre à coucher, d'un rouge vif censé stimuler l'appétit sexuel de ses amantes. Ève avait décidé de rester à Paris pour le bien de Madeleine, qui s'était facilement adaptée à la rupture et ne voyait que des avantages à avoir deux chambres et deux maisons. Pour sa part, Alex vivait enfin une vraie histoire d'amour. Le monde à l'envers. Il avait rencontré une Veronica de Liverpool qui lui avait fait oublier sa Sandrine, chose que plusieurs croyaient impossible. Je l'avais rarement senti aussi optimiste.

J'avais quitté le chalet après le dîner pour pouvoir faire le chemin du retour sans me presser. J'ai réveillé Conrad lorsque j'ai vu où nous étions.

— On va bientôt passer devant la ferme où je t'ai acheté. T'aimerais ça qu'on arrête ?

— Boaf. Non. Pas vraiment. C'est pas comme si je gardais des souvenirs mémorables de l'endroit. On se marchait les uns sur les autres, ça sentait l'urine, et la bouffe était dégueulasse.

— Tu veux qu'on aille voir ta sœur ?

— Chez les crottés à qui tu l'as donnée ? Merci quand même. Je tiens pas à attraper des puces. De toute façon, si ça se trouve, elle est déjà morte écrasée. Et puis ma vraie famille, maintenant, c'est vous.

— Aon. T'es fin !

— Prends-le pas trop personnel. Je suis fidèle à la main qui me nourrit.

— Ah.

La discussion sur la famille semblait close. Conrad, assis sur sa couverture en laine sur la banquette arrière, a regardé partout dans la voiture à la recherche d'un nouveau sujet de conversation. Le roman de Frédérique était posé près de lui.

— Ça t'a fait quoi quand t'as lu sa biographie et que t'as appris qu'elle était retournée vivre à Montréal ?

— Ça m'a rien fait de particulier.

— C'est pas loin de la maison. Tu pourrais facilement trouver son adresse et lui rendre visite.

— Je pourrais, mais je vais dire comme tu m'as dit : ma famille, c'est vous. Je suis marié, je suis heureux, ça donne rien d'aller me replonger le nez là-dedans.

— Je te regardais lire son livre, au chalet, et ça avait l'air de te virer à l'envers.

— Tu te fais des idées.

— Ah bon. Mon erreur. Donc, tu vas bien ?

— Ben oui, je vais bien. Pourquoi tu me demandes ça ?

— Pour rien, Nicolas, pour rien.

— J'ai pas l'air d'aller bien ?

— Oublie ça… J'ai rien dit.

— Je vais bien.

— Oui. Tu vas bien.

Il a tourné trois fois sur lui-même avant de se coucher sur son coin de banquette, a poussé un long soupir et a fermé les yeux pour faire un somme. J'étais content que cette conversation soit terminée. Je commençais à en avoir marre que tout le monde s'inquiète pour moi. Mon congé préventif datait de plus d'un an et, depuis, ma vie avait repris son cours normal. Je n'étais ni malade ni dépressif. Il m'arrivait d'être épuisé par le travail et la vie de famille, oui, mais qui ne l'était pas une fois de temps en temps ? Ce n'était pas plus facile pour les autres que pour moi.

Conrad s'est mis à ronfler. J'ai poussé mon disque de Hank Williams dans le lecteur de CD et j'ai regardé la route devant, cette route qui me ramenait chez moi, vers ma femme et mes enfants, et je me suis détendu. J'ai tenté de ne plus penser à rien. J'allais bien, oui, j'allais bien. Lorsque je suis passé devant la maison de la petite Shékira, l'Haïtien qui pêchait et le Mexicain qui promenait son âne m'ont envoyé la main. Je leur ai retourné les salutations, leur ai souhaité une bonne journée et je me suis mis à chanter avec Hank, lui juste, moi faux.

Now you're lookin' at a man that's gettin' kinda mad
I had lots of luck but it's all been bad
No matter how I struggle and strive
I'll never get out of this world alive
My fishin' pole's broke the creek is full of sand
My woman run away with another man
No matter how I struggle and strive
I'll never get out of this world alive.

J'ai enfilé mes lunettes à quatre dollars quatre vingt-dix-neuf et j'ai hurlé comme un loup.